David Foenkinos

Nos
séparations

Gallimard

David Foenkinos est l'auteur de plusieurs romans dont *Le potentiel érotique de ma femme*, *Nos séparations*, *Les souvenirs* et *Je vais mieux*. *La délicatesse*, paru en 2009, a obtenu dix prix littéraires. En 2011, David Foenkinos et son frère Stéphane l'ont adapté au cinéma, avec Audrey Tautou et François Damiens. Ils ont également réalisé le film *Jalouse*, avec Karin Viard. En 2014, *Charlotte* a été couronné par les prix Renaudot et Goncourt des lycéens. Les romans de David Foenkinos sont traduits en plus de quarante langues.

Pour Alain

PREMIÈRE PARTIE

I

J'ai l'impression que la mort est un regard qui me guette en permanence. Chacun de mes gestes est voué à être analysé par une force supérieure, cette force qui est mon futur d'homme décomposé. Depuis mon plus jeune âge, c'est ainsi. Je vis en ne cessant de penser qu'un jour je ne vivrai plus. Cela permet beaucoup d'émanations positives, notamment de savourer chaque moment vécu : je suis capable de trouver un petit quelque chose de sympathique aux instants les plus minables. Par exemple, dans le métro, écrasé et en sueur, je peux tout à fait me dire : « Quelle chance tout de même d'être en vie. » Il en va ainsi de mes relations sentimentales. Je me regarde aimer, avec l'obligation de ne rien gâcher du cœur qui bat. Quand je m'éveille auprès d'une femme, je contemple son oreille, et j'essaye de photographier mentalement l'éclat de sa particularité. Je sais qu'un jour je serai allongé, immobile et face à la mort, et qu'il ne me restera plus que ces souvenirs de la sensualité passée.

II

Il existe trois milliards de femmes. Je suis donc en droit de me demander : pourquoi Alice ? Surtout les jours où nous nous disputons. Pourquoi elle parmi toutes les Chinoises et les Russes ? Pourquoi est-elle là dans ma vie, à m'exciter et à me désespérer ? Je me dis qu'il y a sûrement une Australienne avec qui je serais très heureux. Des Australiennes douces et aimantes, ça doit forcément exister (l'idéal serait une Australienne née en Suisse). Mais il y aurait des inconvénients : quelle horreur de faire une journée d'avion pour aller voir la belle-famille. Je hais l'avion ; à la limite, je pourrais le supporter si on installait des rails dans le ciel. Finalement, je crois que je suis heureux :

« Alice, j'aurais pu tomber sur une fille bien pire que toi.

— Tu me fatigues, Fritz [1]. Tu me fatigues, vraiment.

1. Oui, je sais, c'est étrange de s'appeler Fritz. Surtout quand on n'est pas allemand. Mon père avait une passion pour le roman *Mars* de Fritz Zorn. Ainsi, il m'était tout à fait agréable de porter le prénom d'un auteur mort à trente-deux ans d'un cancer et qui disait : « Je trouve que quiconque a été toute sa vie gentil et sage ne mérite rien d'autre que d'avoir le cancer. »

— Alors bonne nuit. »

Je me souviens de cette discussion. Je me rappelle aussi m'être allongé près d'Alice. Dans le silence de cette nuit-là, nous paraissions si heureux. Nous avions alors à peine plus de vingt ans. Je tentais simultanément de faire du sport pour avoir un beau torse et de lire l'intégrale de Schopenhauer pour me faire une idée précise de l'amertume. Selon plusieurs avis soudoyés, ce mélange me conférait une certaine élégance. Je pouvais peut-être envisager une vie de héros moderne. Seuls obstacles à cet héroïsme potentiel : mes insomnies. On ne peut pas sauver l'humanité sans ses huit heures de sommeil. Tous les héros dorment bien, même d'un œil. Ils maîtrisent la nuit pendant que je compte tous les moutons du monde ; pas un qui m'ait jamais sauté par-dessus la tête. Il faudrait que l'un d'entre eux rate son saut. Se faire assommer par une masse laineuse endort à coup sûr. Avec les années, j'ai appris à prendre mon mal en patience. Je me lève la nuit et je lis, des heures entières. Les mots sont souvent mon refuge, jusqu'à l'aube, et parfois les lettres se mélangent à mes rêves aux frontières de la somnolence.

Alice s'habillait toujours trop vite. Je l'implorais systématiquement de me laisser le temps de regarder sa petite culotte.

« Mais je vais être en retard ! » criait-elle.

On devrait interdire aux femmes de crier. Surtout le matin, quand je me débats encore dans l'espoir d'un rêve érotique. Je pensais surtout qu'il fallait que je règle le réveil plus tôt. J'étais absolument d'accord pour voler à mon sommeil les minutes nécessaires à la contemplation des cuisses de ma fiancée. Elle me laissait seul dans le lit, et j'étais heureux de trouver parfois quelques cheveux, preuves de son passage. Je lui fis un jour une remarque à propos des traces qu'elle laissait. Elle me répondit :

« Je serais une bien mauvaise maîtresse, alors. »

Voilà exactement le genre de réponse qui fait battre mon cœur, allez savoir pourquoi. En logique amoureuse, nous sommes l'Albert Einstein de l'autre. Il y a ainsi d'autres phrases d'Alice que j'ai trouvées formidables et qui sont sans valeur pour le reste des hommes :

« J'ai froid, mais je préfère dormir nue. »

« On pourrait peut-être aller au cinéma un jour. »

« Il devrait toujours y avoir du gruyère dans ton frigo. »

« Ça me rappelle un rêve que j'ai fait, mais je ne m'en souviens plus. »

« Il faudrait quand même que j'aille à la messe un dimanche. »

« Je regrette d'avoir fait ça. Est-ce que tu m'aimes encore ? »

« Woody Allen fait aussi des films qui ne sont pas drôles. »

Et ainsi de suite. Si ces phrases ne vous font rien, c'est que vous n'êtes pas amoureux d'Alice.

Elle partait, et je m'habillais à mon tour. Quand elle refermait la porte derrière elle, c'était le signe que la journée pouvait s'ouvrir. J'étais alors étudiant, et j'avais tellement hésité entre plusieurs voies que je suivais des cours dans des domaines aussi divers que l'histoire de l'art et la physique moléculaire. Je voulais connaître toutes sortes de Robert : Musil, Schumann, Bresson ou Zimmermann. Je faisais croire à mes proches que mes apparentes errances étaient le fruit d'une stratégie professionnelle affûtée. Stratégie que je ne dévoilerais qu'en temps voulu. C'était l'une de mes méthodes de vie : toujours rassurer les autres, en leur faisant croire à la rationalité de mes actes. Mais était-ce ma faute si tout m'intéressait ? Pourquoi toujours choisir ? La vie était une succession de limitations. On devait être fidèle, on devait être de gauche, on devait manger à 13 heures. Et moi je voulais une maîtresse qui vote à droite, et l'emmener déjeuner à 15 heures.

C'est peut-être ce qui m'a attiré chez Alice. J'ai senti dès le premier regard que notre relation serait un hors-piste. En fait, non. Ce n'est pas la première sensation que j'ai éprouvée. Au tout début, il y a eu un geste. Cela me fit penser à *L'immortalité* de Milan Kundera, livre dont l'héroïne naît d'un geste. Alice aurait pu se retrouver dans le roman d'un grand écrivain tchèque, mais elle a préféré être dans ma vie. C'était un samedi soir, et nous étions invités à une soirée. Les circonstances n'avaient rien d'extraordinaire, et c'est souvent le meilleur moyen de rencontrer l'extraordinaire. Nous nous étions retrouvés là, par hasard, en suivant des amis d'amis, et c'était cette belle chaîne de l'amitié qui nous avait conduits à trouver l'amour. Je veux dire un véritable amour, un de ceux qui vous propulsent dans la catégorie des êtres risibles.

Il devait être un peu plus de trois heures du matin. Moi qui suis précis sur les détails de notre rencontre, j'avoue ne pas pouvoir être performant en ce qui concerne l'horaire. Vient une heure où il n'y a plus d'heure. Nous étions tassés dans la cuisine à la recherche d'un peu d'alcool. On retrouve toujours dans ces cas-là un comique qui assoit sa domination humoristique, et parfois il lui suffit de parler un peu plus fort que les autres. Où que l'on soit, jamais la tension hiérarchique ne s'arrête. Un petit groupe hilare s'était formé autour de lui, l'encourageant dans sa certitude d'être impayable. C'est donc dans ce cercle du rire qu'Alice et moi nous sommes rencontrés. Nous étions face à face. Des rires passaient au-dessus de nos têtes, déformés par l'atmosphère vaporeuse. Il y avait des hihihi et des hahaha. Le visage d'Alice était tout près du mien quand elle a eu ce geste étonnant. Elle a lentement relevé la main pour caresser son nez puis son oreille gauche. Le tout d'une manière fugitive, comme si elle était une voleuse de son visage. Il est difficile de décrire précisément ce qu'elle a fait avec ses doigts, mais l'enchaînement de ces deux caresses a formé un geste d'une grande intensité. Et c'est juste après que je l'ai vue me regarder. Elle paraissait presque gênée, et elle m'a souri. Ce n'était pas un sourire qui appartenait au cercle du rire. Il m'était destiné. Comme je le lui ai rendu aussitôt, nous avons formé un cercle dont nous étions les deux seuls initiés. Notre cercle du sourire était un sous-ensemble autonome du cercle du rire, une dissidence intime.

Quand le comique a été épuisé, son public s'est dispersé. Après tant de rires, cela paraissait presque triste. Nous étions enfin seuls.

« J'ai beaucoup aimé ton geste tout à l'heure, ai-je dit.

— Ah bon, quel geste ? a-t-elle demandé, d'une voix un peu décevante, un peu rocailleuse, mais c'était sûrement lié au tabac et à l'alcool.

— Quand tu as touché ton nez puis ton oreille, d'une manière très rapide. Tu as effleuré ces deux parties de ton visage, et c'était comme un code secret.

— Tu as bu ?

— Non, je suis sobre. Il fallait être sobre pour saisir ce geste.

— Je ne m'en souviens pas.

— Attends, je vais te montrer. »

C'était une occasion de prendre sa main. Elle s'est laissé guider facilement. Ses doigts ont effleuré à nouveau son visage. J'ai compris aussitôt que ce ne serait qu'un vulgaire pastiche. Il y avait eu dans ce geste toute la beauté de l'éphémère au bout des doigts. On ne pourrait jamais le répéter. Tant de fois par la suite, Alice a tenté en vain de reproduire cet instant unique. Pour me faire plaisir, certes. Mais aussi pour retrouver l'éclat de ce moment magique. Car elle savait que c'était par ce geste qu'elle m'avait conquis. Et je savais que c'était par mon adoration de ce geste que je l'avais conquise.

« Comment s'appelle l'auteur de ce geste ? ai-je demandé.

— Alice.

— Alice… Alice, c'est bien. C'est court, mais c'est bien.

— Tu trouves que c'est court ?

— Non, ça va. L'essentiel, c'est de ne pas avoir les cheveux courts.

— Tu es toujours comme ça ?

— Tu auras tout le temps que tu veux pour vérifier comment je suis.

— Et tu t'appelles comment ?

— … »

Je ne sais pas pourquoi mais il m'a fallu un long moment pour répondre. À cet instant, je n'avais pas envie de m'appeler Fritz. Je crois surtout que je n'avais pas envie de m'enfermer dans des lettres, je ne voulais rien définir de ce que nous vivions, je voulais nous laisser encore la possibilité d'être deux inconnus. Plus jamais après nous ne pourrions faire marche arrière jusqu'à cet espace où nous ne nous connaissions pas. C'était le dernier moment de notre relation anonyme, et un, et deux, et trois :

« Je m'appelle Fritz. »

Elle n'a fait aucun commentaire sur mon prénom. Juste pour cette raison, il n'était pas exclu que je l'épouse un jour [1], et mieux encore : que nous achetions un chien ensemble.

III

Alice est une jeune fille de bonne famille. Autant l'avouer tout de suite : ce fait a une nette tendance à m'exciter. Physiquement, elle possède toutes les caractéristiques de la petite chérie. Des cheveux lisses, un serre-tête parfois, et une façon si catholique de dire « oui ». Je raffolais de ses manières précises, et je trouvais dans sa façon de vivre tant de choses dont j'avais manqué. Il faut dire que j'ai été élevé (le mot est un peu fort) par des parents post-soixante-huitards. Vous ne pouvez pas ima-

---

1. Bien sûr, je ne savais pas encore à quel point notre histoire serait désastreuse.

giner à quel point c'est traumatisant de passer ses vacances en Inde quand on est enfant. C'est juste un détail au passage. À présent, je les vois peu : ils vivent sur une montagne quelque part à l'ombre des moustaches de José Bové. Ou alors, ils voyagent à l'autre bout du monde pauvre. Ils sont de toutes les manifestations altermondialistes. Il m'est arrivé de penser que j'étais pour eux moins important qu'un grain de riz brésilien vendu en commerce équitable. Cette balance n'était finalement pas équitable pour moi, mais j'ai fait en sorte de me construire avec leurs valeurs, sans me focaliser excessivement sur leurs lacunes. Je ne peux pas dire que j'ai manqué d'amour ; j'ai simplement dû le partager avec tous les nécessiteux de la planète. Nous étions nombreux dans le cœur de mes parents, et c'est un sentiment que j'ai toujours ressenti : non pas de la sécheresse mais de l'étroitesse affective.

Quel cliché : le fils de hippie avec la fille de bourgeois. Je n'y peux rien, nous sommes tous des clichés. L'éducation, dans la plupart des cas, c'est juste un entraînement quotidien pour nous pousser à ne pas ressembler à nos parents. Si elle a conservé beaucoup de leurs principes, Alice n'est pas non plus en adéquation totale avec le monde des siens. Elle le respecte, elle ne cherche jamais à bousculer la moindre règle. Elle va les voir tous les dimanches, un rituel aussi immuable qu'un jour férié. Mais elle vit librement, et tente assez efficacement de ne pas se laisser encombrer par les diktats familiaux. Autrement dit, elle est capable de fumer un joint, d'écouter du rock alternatif, de lire le marquis de Sade, et de m'aimer surtout. Oui, il y a sûrement de la rébellion inconsciente dans l'idée de m'aimer. Je sais très bien que je n'ai pas le profil du gendre idéal. Je rêvais pourtant de rencontrer ses parents. Dans mon esprit, malgré ce que je savais de leur rigidité, ils étaient des modèles de stabilité. Et j'avais tellement manqué d'un quotidien huilé par des règles. Quand Alice partait chaque dimanche pour les voir, je demandais :

« Quand est-ce que tu me les présentes ?

— Bientôt.

— On dirait que tu as honte. Tu leur as parlé de moi au moins ?

— Oui… enfin un peu…

— C'est-à-dire ?

— Eh bien, une fois j'ai parlé de toi… j'ai évoqué tes multiples études…

— Et alors ?

— J'ai vu dans le regard de mon père que cela ne le faisait pas rire. Alors j'ai préféré dire que tu étais un copain. Un bon copain.

— Un bon copain ?

— Fritz ! Tu peux comprendre, quand même !

— Si j'ai bien compris, il faut faire l'ENA pour voir tes parents.

— Mais non… mais… ça sera mieux plus tard… quand tu auras un vrai travail. »

J'étais scandalisé de voir à quel point elle avait honte de moi. Il y avait bien sûr de la mauvaise foi dans mon énervement, car je comprenais son attitude. En même temps, on aurait pu me donner une chance. J'étais un garçon dispersé, certes, mais sérieux. Alice aurait pu mettre cet aspect en avant auprès de son père, mais elle avait préféré me résumer par mes études. Ainsi, pour les rencontrer, il me fallait avoir un emploi. Par chance, j'allais bientôt trouver une place en parfaite adéquation avec l'étendue de mes connaissances. J'allais avoir un salaire et des tickets-restaurant et ce serait alors le monde des adultes.

IV

Je n'ai certainement pas fait assez de sport dans ma jeunesse pour supporter ainsi les mouvements irréguliers de mon cœur. Cela fatigue tellement, ce mouvement perpétuel du bonheur au malheur. Avec Alice, j'alternais sans cesse entre les moments d'euphorie où je voulais l'emmener en week-end sur la Lune, et les moments de violence intersidérale où je l'aurais enfouie au cœur de la Terre. Je pense qu'elle ressentait exactement la même chose. Habituellement si douce et si chuchotante, elle était capable de crier subitement, de déverser des sons stridents dans mes oreilles amoureuses. Nous étions dans la valse des tonalités. Et je n'étais pas loin de penser que l'amour rend surtout sourd.

Un soir, je lui demandai pourquoi elle faisait cette tête. Oui, elle faisait une tête un peu particulière, comme quelqu'un qui a oublié son parapluie. Rien ne l'irritait davantage que mes interrogations sur son humeur.

« Arrête de me scruter ! Arrête de tout analyser ! Je n'en peux plus ! »

Mais je ne pouvais pas m'arrêter et je relançai :

« Pourquoi tu te mets dans cet état ? »

Autant dire que c'était la phrase à ne pas dire. Il ne faut jamais demander à une femme la moindre explication rationnelle sur son comportement. Elle sortit subitement prendre l'air. Je pense souvent à cette expression : « prendre l'air ». Cela veut dire que l'on va ailleurs, pour le trouver. Cela veut dire littéralement : où je suis, je m'asphyxie.

On gâchait des moments de bonheur, on vivait des jours entiers dans la puérilité, on rêvait de ne plus s'aimer, et pourtant on demeurait là, physiquement incapables d'échapper au monde clos de notre histoire.

« Mais comment avons-nous fait pour tomber si bas ? lui demandai-je un jour où j'étais las de l'aimer.

— C'est notre ange gardien. Il avait trop bu ce

soir-là. Si ça se trouve, la femme de ta vie, c'est celle qui était juste à côté de moi. Tu te souviens d'elle ?

— C'est vrai qu'elle était pas mal…

— Oui, parfaite pour toi. Douce et éteinte. Elle aurait sûrement été toujours d'accord avec toi. Je suis sûre que c'est elle. L'ange a ripé de quelques millimètres. Toutes nos disputes viennent de là. De l'inclinaison ridicule d'un tir à l'arc raté. »

J'ai pensé : la prochaine fois que je tombe amoureux, je prends aussi le numéro de la fille d'à côté (on ne sait jamais : je suis peut-être destiné à ne rencontrer que les femmes qui sont juste à côté des femmes de ma vie). Nous avons repensé à notre premier soir. Le refuge, c'est toujours la nostalgie. Elle penchait sa petite tête vers moi, elle était mon horloge cassée, l'infini à portée de mes lèvres. Qui sait pourquoi nous nous étions excités, peut-être juste pour ce plaisir enfantin et primaire de la réconciliation. Voyager un moment au-dehors de la douceur, c'est l'adrénaline du ridicule. Je chuchotai alors :

« Vivement notre vieillesse, quand nous vivrons en Suisse.

— Oui, mon amour.

— On ne bougera plus beaucoup. On ne pourra plus se disputer. Et on laissera nos deux dentiers reposer dans le même verre la nuit. Nos dents seront heureuses ensemble. »

J'ai rêvé à la vie de nos dents. Une fois, nous les

avions comparées (chacun ses occupations), et il se trouve que nous avions de nombreux points communs. Notamment une identique fissure sur la troisième dent du haut en partant vers la gauche. Existerait-il une mystique de la dent ? Peut-être sommes-nous guidés par nos dents vers nos amours ? Et les dentistes seraient alors des personnes qui cherchent désespérément l'âme sœur.

Il y a un aspect de ma personnalité que je n'ai pas encore précisé : je ne supporte pas les conflits. Arrondir les angles est le slogan de ma névrose. Une ascendance pacifiste qui est sûrement mon seul héritage concret. Parfois, nous ne parvenions pas à nous réconcilier, et la dispute s'envenimait. Un soir, Alice avait claqué la porte, j'ai oublié pour quel motif, et, alors que j'aurais dû la laisser se calmer, je suis parti à sa poursuite. Dans la nuit, j'ai couru pour la rattraper. Elle s'est débattue : c'était notre chorégraphie d'amour. Elle était en sueur, et je regrettais sa douceur comme un lointain bonheur de mon enfance. Je ne comprenais rien à ce qu'elle me disait. Elle gesticulait, elle était terriblement malheureuse et j'étais le pire des hommes. Je tentais de lui dire que je l'aimais, que je l'aimais depuis la première seconde, mais mes mots ne servaient à rien. Elle me frappait et je la frappais aussi. Un instant, nous nous sommes arrêtés, sans même voir que nous étions devant la terrasse d'un café encore ouvert. Une dizaine de consommateurs assistaient à notre spectacle de rue, et nous leur offrions une sorte d'Avignon off.

J'ai admis qu'il valait mieux se calmer chacun de son côté. Je me sentais si malheureux. C'était une vraie dispute, une des plus violentes de notre histoire. Je me suis réveillé le lendemain en panique. Alice n'était pas venue dormir avec moi. Et je savais qu'elle ne ferait pas le premier pas. Elle avait trop d'orgueil. Elle devait être tranquillement en cours. Alors que nos disputes me dévastaient, il lui arrivait de ne même pas s'en souvenir. « Ah bon, j'ai dit ça ? » me demandait-elle, et je n'arrivais pas bien à savoir si elle se moquait honteusement de moi ou si elle avait une redoutable faculté d'amnésie. Je crois surtout qu'elle cicatrisait vite, alors que j'étais l'archétype du garçon qui tourne en boucle dans sa tête toutes les situations. Que devais-je faire ? Sans elle, j'avais peur de tomber malade. C'était idiot. Il m'arrivait de penser qu'elle me protégeait des infections et des épidémies.

Je suis allé la chercher à la sortie de sa fac. Alice étudiait l'allemand. Elle serait bientôt professeur. C'était pour moi une langue absolument magique, pour ne pas dire érotique. Hitler l'a tuée, en l'aboyant. Souvent, quand nous faisions l'amour, je lui demandais de me chuchoter des mots en allemand. Rien ne me troublait davantage. En l'attendant, je repensais à notre projet d'aller bientôt à

Berlin (un voyage que nous ne ferions jamais), et je voulais tant me promener à Savignyplatz en lui tenant le bras gauche. Alice aimait aussi cette langue au point de vouloir l'enseigner, et j'avais compris au bout d'un moment que le fait de m'appeler Fritz avait joué en ma faveur. Quel bonheur que ce prénom puisse enfin m'apporter quelque chose, après tant d'années à m'avoir propulsé dans le ridicule.

Notre dispute de la veille avait été absurde. J'espérais que tout serait oublié dès le premier regard. Je m'étais installé une pancarte autour du cou, sur laquelle on pouvait lire :

« Tu m'emmerdes »

Alice est sortie. Je l'ai vue s'approcher de moi, et tenter de discerner ce que j'avais écrit. Elle m'a fait un grand sourire, et a accéléré le pas pour m'embrasser. Puis, elle a chuchoté : « Toi aussi, tu m'emmerdes. »

C'était l'amour.

V

Les mois passèrent, et puis l'été fut là. Comme tous les ans, Alice partait rejoindre la maison familiale en Bretagne. Je n'étais pas convié. Je ne voulais plus m'offusquer de cette frontière qu'elle avait installée entre ses proches et moi, et j'avais prévu autre chose. Je devais penser à mon avenir professionnel. J'avais envoyé de nombreuses lettres pour décrocher un stage. J'avais entrepris des démarches dans des domaines très différents, et j'attendais une réponse comme on attend le résultat d'une roulette russe. Ma vie était entre les mains du destin, et j'essayais d'imaginer ce destin comme une femme attentionnée. Assez rapidement, les éditions Larousse m'ont contacté. La femme que j'avais eue au téléphone avait émis des petits rires en évoquant la particularité de mon CV.

« Bonjour, j'ai rendez-vous avec Céline Delamare.

— Très bien, je la préviens. »

Ce dialogue peut paraître anodin, mais je sentis que quelque chose d'important se jouait à cet instant précis. Au moment où j'entrais dans le hall d'une entreprise, où je souriais à une standardiste en déclinant la raison de ma présence. J'eus l'impression d'appartenir au monde, subitement. D'être sur le paillasson de la vie normale. Qu'à partir de maintenant, tout ce qui me restait de mon enfance chaotique, tout ce que je vivais actuellement avec mes études dispersées allait appartenir au passé. Ce n'était qu'un premier rendez-vous pour obtenir un stage, mais c'était la deuxième partie de ma vie qui commençait.

Le rendez-vous se passa admirablement bien. Directrice des ressources humaines, Céline Delamare s'occupait également des stagiaires. Elle déroula les conditions, tandis que je l'observais avec attention. Elle représentait à mes yeux une femme qui travaille, et j'avais tellement envie d'en savoir plus sur elle. Elle devait avoir presque quarante ans, mais je ne pouvais en être sûr. Peut-être moins, peut-être plus. Ce que je voyais surtout lors de cette première rencontre, c'était sa couleur. Céline Delamare était rouge. Je la voyais dans une ambiance de rouge, ses lèvres, les reflets de ses cheveux, et le pull qu'elle portait. Elle était une harmonie de rouge. Et cela, je dois l'avouer, me fit un certain effet.

« Ça va ? Vous vous sentez bien ? Vous êtes tout rouge, fit-elle.

— Vous aussi », répondis-je machinalement.

Elle sourit. Je crois qu'elle n'avait pas bien compris ce que j'avais voulu dire. Elle se leva pour aller me chercher un verre d'eau. Je me ressaisis alors :

« Merci beaucoup.

— J'espère que vous ne serez pas émotif comme ça pendant votre stage.

— Non, c'est la première fois que cela m'arrive.

— Vous êtes original[1].

1. Dans *Le potentiel érotique de ma femme*, un roman de David Foenkinos, le héros s'interroge : « Est-ce qu'on peut coucher avec une femme qui nous trouve original ? »

— Ah bon ? Pourquoi dites-vous ça ?

— Je ne sais pas… pour votre CV bien sûr… je n'avais jamais vu quelqu'un qui a suivi autant de cursus… c'était parfait pour nous. Nous avons besoin de gens qui ont de larges connaissances.

— Je ne sais pas si elles sont larges.

— Nous verrons. Si vous le voulez bien, vous commencerez lundi.

— Je le veux bien. »

Il y eut alors un moment de gêne que je pourrais expliquer ainsi : je crois que tous les deux nous aurions voulu continuer cette conversation, mais qu'il n'y avait aucune matière pour la poursuivre. Il était temps de quitter le bureau. Juste avant d'ouvrir la porte, j'entendis :

« Fritz, si vous avez besoin de quoi que ce soit pendant votre stage, n'hésitez pas à venir me voir.

— D'accord, madame », dis-je d'une manière ridicule.

Oui, j'avais été ridicule de l'appeler madame, mais ce ridicule nous unirait.

Ce ridicule entre personnes troublées.

J'annonçai la nouvelle à Alice, et elle ne sembla pas heureuse. Les nouvelles rencontres que j'allais faire lui apparaissaient comme de gigantesques machines à l'exclure. Elle me voulait actif, elle me voulait réglé, et pourtant, je crois qu'elle supportait mal toutes mes tentatives pour vivre hors d'elle. Au bout d'un moment, elle dut admettre que cela me

ferait le plus grand bien de comprendre le fonction-
nement d'une entreprise. À vrai dire, son attitude
était dictée par la jalousie ; elle allait partir, et je
resterais ici, plongé dans une nouvelle aventure.
Seulement, elle ne pouvait rien me reprocher car je
n'étais pas convié au bord de la mer. Encore une
fois, nous étions dans une ambiance mi-prune mi-
pêche (chacun ses expressions), et j'ai pensé que je
serais peut-être heureux de passer ces moments
sans elle. Depuis des mois, nous vivions collés,
dans l'autarcie de notre révélation amoureuse, alors
cette première séparation serait sûrement béné-
fique.

Le jour où elle est partie en Bretagne, je n'ai
cessé d'alterner les moments d'angoisse et d'euphorie. Quand je l'ai accompagnée sur le quai, mon
œil gauche pleurait, tandis que le droit souriait. Je
regardais le train partir, et il emportait le corps
d'Alice. Elle était si belle, et je pensais à tous ces
garçons qui l'observeraient, et qui feraient semblant
d'aller aux toilettes pour regarder ses jambes. Je me
suis dit : c'est peut-être la dernière fois que je la
vois. C'est finalement un sentiment que j'éprouve à
chaque fois que j'accompagne quelqu'un à la gare.
Cette ligne droite qui devient vide progressivement,
et nous restons là dans la nouvelle absence de
l'autre.

VI

Je fus très vite apprécié chez Larousse. Il faut dire que je m'impliquais vraiment dans ce stage. Je faisais des vérifications dans le dictionnaire, en vue des modifications annuelles. Je me perdais pendant des heures dans le monde des citations. Peu à peu, je fus capable de définir le monde entier. Dans la rue, tandis que je marchais sous un lampadaire, je me souvenais que le mot venait du latin *lampadarium*. Cela peut paraître ridicule, mais c'était comme une force qui s'installait en moi. La connaissance des étymologies faisait de moi un homme stable.

Je partageais un bureau avec Paul, un autre stagiaire. Nous déjeunions presque tous les jours ensemble, si bien que nos vies respectives ne recelèrent très vite plus de secrets. C'était un célibataire longue durée. Son dernier souvenir sensuel remontait sûrement au noir et blanc. Pourtant, il n'était pas laid. Et il était plutôt brillant. Alors quoi ? Cela semblait surtout difficile de rencontrer quelqu'un. On nageait dans la solitude urbaine, et c'était si triste de savoir que les femmes ne s'offraient pas à nous, même par pitié. Paul ne renonçait pas, et m'expliquait sa dernière tactique. Depuis qu'il était interdit de fumer dans les lieux publics, il s'était efforcé de se mettre à fumer. C'était le moyen idéal de faire des rencontres. Mais, ses poumons étant fragiles, il était victime de désagréables nausées. Pendant quelques jours, il avait été tiraillé par une redoutable question existentielle : devait-il choisir le cancer ou la misère sexuelle ? Il avait finalement décidé de privilégier sa santé. Ce qui était le bon choix car il n'allait pas tarder à rencontrer une femme formidable. Et la rencontre serait pour le moins originale.

Pendant nos déjeuners, nous aimions nous entraîner :

« Est-ce que tu sais ce qu'est un sybarite ? me demandait Paul.

— Non.

— C'est une personne qui mène une vie facile et voluptueuse.

— Et toi tu sais ce que c'est une radula ?

— C'est une langue ?

— Oui. La langue râpeuse de la plupart des mollusques.

— Ah très bien. Bon appétit. »

Je n'ose imaginer ce que nos voisins de table pensaient de nos conversations. Nous avions l'air de deux bêtes à concours, de Bouvard et Pécuchet du dictionnaire. Nous aimions tellement ça. C'était vraiment ce qui nous unissait, l'amour des mots, et de leur sens. Cela faciliterait l'absence de non-dits entre nous.

Le grand paradoxe de cet été-là fut le suivant : tandis que je définissais le monde, ma vie m'apparaissait comme un vaste domaine indéfini. Ce que j'appelais « ma vie », c'était Alice. Après une longue dispute au téléphone en juillet, elle avait décidé de rester tout l'été en Bretagne. J'appris surtout qu'elle avait retrouvé un ami d'enfance, et qu'ils passaient leur temps ensemble. C'était le fils d'un couple d'amis de ses parents. La relation parfaite d'un point de vue social. Tout ce que je n'étais pas. J'ai pensé que notre histoire était finie, qu'on ne peut jamais échapper à ce que l'on est. J'étais forcément destiné à rencontrer dans un restaurant bio une fan de Joan Baez aux cheveux même pas lisses.

Pendant plus de dix jours, malgré ses messages de plus en plus inquiets, j'avais refusé de lui parler. Puis un jour je décrochai :

« Mais pourquoi tu m'as fait ça, Fritz ?

— Tu semblais heureuse avec ton mec de CM2.

— Je te déteste. C'est toi que j'aime, et je n'en peux plus de ton comportement. »

Alice était exceptionnelle : en deux phrases, elle avait réussi à me faire passer pour le coupable. Je ne pouvais qu'admirer une telle capacité. Je ne me souvenais plus du point de départ de notre dispute. Je savais juste qu'elle avait évoqué ce garçon, et que cela m'avait profondément énervé.

« Tu as couché avec lui ?

— Ça ne va pas !

— J'ai besoin de le savoir, Alice.

— Savoir quoi ? Il n'y a rien à dire. J'ai préféré rester ici, c'est tout. Être un peu au calme.

— Tu es vraiment une sybarite !

— Une quoi ?

— Laisse tomber.

— Je n'en peux plus, Fritz[1] ! Nous ne sommes pas heureux quand nous sommes ensemble. Et c'est pire quand on est loin l'un de l'autre. Je n'en peux plus. Il faut que tu trouves une solution.

— Alors reviens.

— Quand ?

— Maintenant. Reviens maintenant, Alice. Tout de suite. Tu sautes dans un train.

— Comme dans les films ?

— Oui. Et comme dans les romans aussi. »

Et voilà, tout notre été passé à nous disputer s'acheva ainsi.

Mais c'était trop tard : maintenant il pleuvait.

À la gare, mon amour s'est jeté dans mes bras (grand bonheur dans la vie peu palpitante de mes bras). Tous les passants ont dû penser que notre amour était lumineux. Ils n'avaient pas tort. Quand nous sommes rentrés dans ma chambre, Alice a découvert une bouteille de champagne.

« Oh comme c'est mignon. On fête nos retrouvailles ?

1. J'ai toujours pensé que mon prénom n'était pas très crédible pour les disputes.

— Oui. Et autre chose aussi. »

Je lui annonçai alors la bonne nouvelle.

VII

Quelques jours auparavant, j'avais croisé Céline Delamare dans un couloir. Pendant mes deux mois de stage, je ne l'avais presque pas vue. Elle rentrait de vacances, je la retrouvais bronzée. Pourtant, son visage avait quelque chose de fatigué. Elle voulait me parler. Je lui demandai si je devais la suivre tout de suite.

« Oui, tout de suite », fit-elle d'un ton presque autoritaire.

Je n'arrivais pas à me faire un avis sur elle. Par exemple : est-ce que je la considérais comme une femme forte ou comme une femme faible ? Bien sûr, elle paraissait forte, me dominant du haut de sa situation professionnelle, mais plus je la regardais, plus je la trouvais parsemée d'éclats de fragilité. Je me souviens de m'être dit un jour : « Fais attention à elle, fais attention à elle… », et j'aurais dû ne jamais oublier cette intuition.

Céline m'annonça que tout le monde était très content de moi. Puis, elle m'apprit que l'on souhaitait me garder et me proposer un contrat. Un instant, je restai en suspens. Je n'ai pas aimé ce mot, « contrat ». J'ai pensé à mes parents, j'ai pensé à une corde autour du cou, et à tous les clichés qu'on m'avait inculqués sur la vie d'entreprise. Elle attendait une réaction, et je me perdis encore un instant dans ma réflexion. Elle entrait maintenant dans le flot de mes pensées, et je m'imaginais croiser cette femme chaque jour, cette femme qui me plaisait, je me l'avouai subitement, dont les formes rondes et la couleur rouge me plaisaient. Elle me fit un grand sourire, et je pus voir ses dents ; peut-être que nos dents aussi seraient heureuses ensemble ? Fallait-il forcément vivre une vie fidèle en matière de dents ?

Après cette digression mentale, j'annonçai simplement que j'étais très flatté de la confiance des éditions Larousse, et que je ferais tout pour ne pas les décevoir. C'était vraiment une occupation professionnelle idéale pour moi. J'allais être en charge des modifications du dictionnaire. C'était une responsabilité qui, une fois dépassée mon appréhension initiale, m'emplissait d'une joie immense. Je ne pouvais plus m'empêcher de sourire, de sourire idiotement, et il fallait que cela cesse sans quoi le ridicule de ma mâchoire pourrait donner à Céline Delamare l'envie de retirer sa proposition. Je pensais à tous ces nouveaux mots qui allaient intégrer la grande équipe des mots. Autre point important de mon emploi : j'allais devoir rédiger les notices bibliographiques des nouveaux entrants. Tous ceux qu'il fallait soumettre au jugement d'un comité de

sélection. Ainsi, à partir de maintenant, je ne cesse-
rais d'être en contact avec des destins pouvant
potentiellement entrer dans le dictionnaire ; des
destins aux rivages d'une certaine postérité.

*

Maxim Twombly (1958-) : Artiste new-yorkais
qui fit sensation dès son plus jeune âge en expo-
sant des toiles inspirées par l'œuvre de Dylan
Thomas, et notamment *La vie est un cercle carré*.
Le 8 décembre 1980, jour de l'assassinat de John
Lennon, il décida de mettre définitivement fin à sa
carrière.

*

Céline Delamare était ravie de constater ma
satisfaction :
« Parfait. Nous aurons donc l'occasion de mieux
nous connaître, dit-elle.
— Oui, c'est d'ailleurs sûrement pour ça que
j'accepte cet emploi », répondis-je avec beaucoup
d'assurance. Je fus surpris moi-même. Ce n'était
certainement pas une phrase de stagiaire ; c'était
une phrase très CDD, pour ne pas dire CDI. Je crois
aussi que cela me faisait du bien de parler ainsi à
une femme. J'en avais besoin, comme pour me
prouver que le monde féminin n'était pas une entité
anéantie par le couple. Je savais pourtant que je ne

pourrais absolument pas tromper Alice, que là n'était pas la question, puisque la question était simplement de ne pas s'écarter du monde sensible.

J'appris la nouvelle à Alice. Cette fois, elle me sauta au cou. Je la sentis heureuse pour moi, fière même, et je redécouvris subitement toute sa capacité à m'aimer follement. J'avais été bien ridicule de m'enfermer dans la jalousie une partie de l'été. Nous avions perdu tant de temps. Il fallait le rattraper. Après le champagne, nous nous sommes allongés, il faisait chaud pour une fin d'été, et je me souviens que nous sommes restés d'abord un temps immobiles, dans une position étrange, presque encastrés, les corps déformés comme dans un tableau de Francis Bacon. Et cette impression était d'autant plus étrange que près du lit il y avait un miroir qui, avec la fenêtre, nous renvoyait une triple image de notre position. Ensemble, nous formions un triptyque.

Nos corps se retrouvaient après ces semaines passées dans notre imaginaire. J'avais l'impression de retrouver le goût. Je me révélais à moi-même. Et mon cœur battait d'une manière anarchique. Nous nous sommes longuement embrassés, sans la langue au début, puis avec la langue, et sans la langue à nouveau, puis avec la langue. Chaque transition du monde de la langue à celui sans la langue était comme un passage de frontière. Chaque détail de notre sensualité, aussi ridicule fût-il, était, dans ce contexte de nos retrouvailles, une énormité indéfinissable, mythique. J'ai senti ses tétons se dresser. Alice s'est mise alors à me masturber. Les préliminaires étaient comme la préparation d'un long voyage. Nous aurions pu tout aussi bien faire l'amour plus brutalement, plus rapidement, nous jeter l'un sur l'autre après tout ce temps l'un sans l'autre. Mais nous avions préféré la lenteur, c'était le rythme de l'émotion.

« Continue », ai-je demandé.

Elle me caressait toujours lentement, en accélérant parfois, en collant sa bouche près de mon oreille pour soupirer au plus près de mes tympans. J'aurais pu venir dans sa main, tant mon plaisir était fort.

« Ne viens pas, m'a-t-elle dit. J'ai envie de toi maintenant. »

Elle avait prononcé cette phrase comme s'il s'agissait d'une sentence, de l'annonce d'une exécution. Je l'ai alors retournée. Collé à elle, je l'ai caressée en même temps. Elle est venue sur moi, sa position préférée, puis moi sur elle, ma position préférée. Dans un moment, nous reprendrions notre position de solitude corporelle.

Un silence s'est installé entre nous. Nous étions allongés, dans le bonheur et la sueur, dans la vapeur de l'épuisement. C'est alors qu'Alice annonça :

« Maintenant que tu as un emploi, il faut que je te présente à mes parents. »

VIII

J'avais connu des moments d'angoisse dans ma vie, mais celui-ci les surclassait. Surtout à cause d'Alice, qui me préparait comme si j'allais représenter l'humanité devant les extraterrestres. Pendant près d'une heure, elle tenta de me coiffer décemment. Elle m'écrasa la tête avec une brosse, elle voulait à tout prix que je perde toute personnalité capillaire. Je criai, et commençai à avoir la mine d'un détenu.

« Arrête ! Laisse-moi un peu naturel, ça sera mieux. »

Elle me contempla, avant de confirmer :

« Non, naturel ça ne passera jamais. »

Après un temps, elle avoua :

« C'est vrai que tu as une petite mine. Je vais te faire un jus de carotte.

— Je n'aime pas ça.

— C'est pas grave. Il faut que tu aies bonne mine.

— Mais je vais vomir ! C'est ça que tu veux ? Que je sois vert ?

— Oh tu ne fais vraiment aucun effort !

— Mais j'ai un travail maintenant. Je peux

expliquer que je travaille beaucoup, d'où mon visage fatigué.

— Ils vont croire que tu te fais exploiter, c'est pire. »

Quoi que je dise, Alice trouvait quelque chose à redire. Alors que j'étais terriblement anxieux, je dus la prendre dans mes bras et la rassurer. Tout se passerait bien. Ce n'était qu'un dimanche à vivre.

« Il y aura ma sœur aussi, dit Alice.

— Ah bon ?

— Oui, elle vient de rentrer d'Amérique du Sud.

— Elle y faisait quoi déjà ?

— Tu sais bien, cette thèse sur la fuite des criminels nazis. »

Le retour de sa sœur était un soulagement. Je ne serais pas le seul centre d'intérêt. Cette quête des nazis avait vraiment le mérite d'attirer la lumière. De toute façon, je m'étais surtout préparé à être une sorte de légume lâche. J'allais tout faire pour ne pas gâcher ce moment historique aux yeux de ma fiancée.

À peine entré dans la maison, je compris que la tâche ne serait pas aisée. Les deux sœurs se jetèrent dans les bras l'une de l'autre. Je fus ainsi présenté à Lise dans le couloir. Toute ma vie, quand je penserai à Lise, je penserai à cet instant dans le couloir. Elle semblait pleine de vie. Elle avait une étrange façon de sautiller tout en restant au sol, une sorte de mouvement d'ascension minime exécuté en permanence. Bref, elle me plut immédiatement, et ce fut réciproque.

« Je ne sais pas ce que t'a dit ma sœur, mais ne t'inquiète pas, ça va très bien se passer.

— Ah bon ? Si tu le dis.

— Tu vas voir, notre père est un peu ronchon, mais il est gentil. »

Nous sommes ensuite entrés dans la cuisine. C'était une belle cuisine, vaste, sûrement un peu trop. C'est toujours ridicule une trop grande cuisine. Je découvris la mère d'Alice, perdue dans ses casseroles, évaporée dans l'ambiance la plus dépressive qui soit. Une odeur de lapin flottait. Éléonore s'avança vers moi, mais pas trop tout de même, car il fallait bien montrer que c'était surtout à moi de m'avancer. J'étais un invité, et les invités doivent marcher plus vite que les hôtes. Elle me parut si lasse, dès ce premier instant. Ce qui lui restait d'énergie vitale devait être bien caché dans l'un des innombrables tiroirs de cette cuisine géante.

« Alors c'est vous, Fritz ? » me dit-elle.

Tout était dans le « alors ». Cet « alors » n'avait pas été clairement soupiré, mais il avait été émis avec un petit souffle, comme la brise discrète des soirs d'été : on ne se doute pas encore que l'on va avoir froid, voilà ce qu'il y avait dans ce « alors ».

« Oui, c'est moi », répondis-je.

Quelle réponse idiote, je l'admets. Mais que pouvais-je dire d'autre ? Alice ne voulait pas laisser le moindre temps mort dans ces présentations. Alors, elle se précipita sur le premier sens qui pouvait lui fournir matière à parler : en l'occurrence, l'odorat.

« Oh tu as fait du lapin ! Ça tombe bien, Fritz adore le lapin ! Hein, Fritz, hein, tu adores le lapin, hein, hein… tu me le disais hier encore… tu me disais, oh c'est drôle, j'adore le lapin, et je n'en mange pas assez, hein Fritz, hein que tu aimes le lapin ? »

Alice arrêta son monologue du lapin. Sa sœur et moi la regardions, interloqués d'une telle frénésie. Sa logorrhée avait été rythmée par de petits coups de coude aussi discrets qu'efficaces :

« Oh oui, j'adore le lapin… c'est vraiment bon le lapin… Et puis c'est gentil un lapin…

— Gentil ? coupa Éléonore.

— Oui, enfin, pas toujours… parfois le lapin est caractériel, alors on a vraiment raison de le tuer et de le manger… et j'adore ça… manger… heu… lapin…

— Oh oui, il adore ça », répéta Alice.

Sa mère nous regarda comme deux demeurés. Finalement, elle me fixa et je pus lire dans son regard :

« Tu es peut-être gentil… tu vas peut-être faire tous les efforts du monde… mais si tu crois franchement qu'on va laisser notre fille s'installer avec un paillasson comme toi, tu peux toujours rêver… »

Je voulus mourir, mais on me proposa plutôt un peu d'agonie avant : la rencontre avec le père.

Lise tentait toujours de détendre l'atmosphère, et je ne pouvais qu'apprécier ses efforts. Elle semblait très à l'aise avec ses parents, parfaitement capable de leur faire accepter son mode de vie. Il n'était pas rare dans une famille à deux enfants qu'on tolère chez l'un ce que l'on ne supporte pas chez l'autre. Alice, contrairement à Lise, devait à tout prix rentrer dans le moule. Étant la seconde, elle devait porter les espoirs d'une vie rangée, faire un bon mariage, et des enfants bien blancs. Si elle ne le faisait pas, plus personne ne pourrait reprendre le flambeau de la vie française et triste.

Le père était assis dans son canapé, parcourant son journal, et sûrement rêvait-il simultanément à ses actions en bourse et au cigare qu'il fumerait après le repas. À la façon dont il était vautré, on savait qu'il vivait dans un monde où tout était à la mesure de sa personne satisfaite. Il fit semblant de ne pas se rendre compte de notre présence, et nous laissa un instant en plan, figés dans notre médiocrité. Nous quémandions un bonjour.

« Papa, je suis là. Avec Fritz.

— Ah… », fit-il d'un ton distant qui agaça Lise.

« Papa, tu le fais exprès !

— Quoi ? Quoi ? Ah, bonjour… »

Il ne se leva pas, mais fit un effort du buste, une tentative tout de même de me montrer que j'étais un peu plus que rien.

« Bonjour…

— Fritz.

— … Fritz. Vous vous appelez vraiment Fritz ?

— Oui… c'est mon père… qui aimait un roman… et…

— Et il a rencontré ta mère ? » demanda-t-il à sa fille, ce qui était une double impolitesse : il me coupait la parole, et ne me posait pas la question directement.

« Oui, nous nous sommes vus dans la cuisine. Fritz aime beaucoup le lapin… »

Cette dernière phrase se fracassa contre un silence consternant. Je n'en pouvais plus d'être associé au lapin. Je m'en foutais des lapins. J'aimais beaucoup de choses dans la vie. Au hasard : Monteverdi, Antonioni, Kandinsky (tiens, que des artistes qui se finissent en « i », mais ce n'était pas le moment d'en tirer une quelconque théorie).

*

Romuald Picard (1951-1987) : Navigateur français. Le premier marin à faire le tour du monde en suivant uniquement des diagonales. Après ce moment de gloire, il tente une traversée en solitaire du Pacifique, mais on perd sa trace après seulement deux jours de navigation. Son corps est retrouvé quelques mois plus tard sur une île déserte. Sur une roche près de lui, il avait gravé : « Je me sens seul. »

*

Nous sommes passés au salon pour l'apéritif. Je mangeais des cacahouètes, comme j'aurais fumé une cigarette, pour me donner une contenance. Lise parlait beaucoup, et nous sauvait du vide, mais malheureusement, elle était souvent interrompue par la sonnerie de son téléphone. On entendait en provenance du couloir des bribes de conversation.

« C'est quand même fou ! s'écria le père. J'ai une fille qui fait une thèse sur les nazis en fuite, et une autre qui veut devenir professeur d'allemand. Hein, Éléonore, tu ne trouves pas ça fou, toi ?

— Oui, sûrement.

— Remarque, ça peut toujours être utile. En cas de nouvelle attaque. Parfois, je me dis qu'avec tout ce bordel ici, ça ne ferait pas de mal qu'on remette un peu d'ordre !

— …

— Et la polygamie !

— C'est sa nouvelle lubie, souffla sa femme.

— Ça se trouve, ils vont réussir à nous faire

accepter la polygamie. Hein, Fritz, vous en pensez quoi ?

— De quoi ? De la polygamie ?

— Il me demande de quoi ! Il est incroyable ton ami ! Ben oui, je parle de la polygamie, alors je ne vous demande pas quel temps il fait.

— Bon, on va passer à table », coupa Éléonore.

Tout était parfaitement disposé. On eût dit un musée sur une nappe. Je commençais à avoir des crampes d'estomac. « Ne t'angoisse pas. Il te teste, c'est tout, me souffla Alice. Mais je pense qu'il t'apprécie… » Drôle de façon d'apprécier. Sans grande surprise, il enchaîna sur le déclin des valeurs :

« Tout fout le camp. C'est comme les couples. Maintenant on se sépare pour un oui ou pour un non. Jusqu'à ce que la mort vous sépare, tu parles ! Maintenant, la mort c'est le moindre petit défaut de l'autre…

— Tu crois qu'ils sont heureux tous ces couples qui restent ensemble juste parce que ça ne se fait pas de divorcer ?

— Oh Lise, on ne peut rien dire avec toi.

— Si, tu peux tout dire, mais le refrain "c'était mieux avant", ça me fatigue !

— Tu m'emmerdes, ma fille ! s'énerva subitement le père, apparemment allergique à la contradiction.

— Écoute, ça fait un an que tu ne l'as pas vue, ta fille. Alors arrête ! s'énerva enfin Éléonore.

— Bon ça va… ça va… mais quand même, on ne m'ôtera pas de la tête qu'il n'y a plus de valeurs, et que l'immigration est en grande partie responsable de cette décadence… Bientôt, on aura une mosquée en bas de chez nous… »

Tout le monde laissait le père s'exciter, et je ne savais pas comment réagir. Je n'avais jamais été confronté à une telle situation. Devoir accepter d'entendre de telles conneries, au nom de l'amour. Si seulement Alice m'avait lancé un sourire complice, mais je la sentais tellement admirative. Même la mère soupirait, et après avoir été agacée par elle, j'éprouvai soudain une nette compassion.

Le père continua de glacer l'ambiance avec des propos de plus en plus extrémistes. On passa en revue les SDF, les émigrés roumains qui se coupent une jambe pour nous faire pitié, le sida qui n'est qu'une maladie d'homosexuels et de drogués, rien d'étonnant à ce que les décadents du showbiz l'aient attrapé, et ces connards de la télé qui se font plein de pognon en présentant des conneries avec des gogos qui envoient des SMS, et la presse à la botte du pouvoir, tout n'est que magouille et compagnie, et encore, et encore du pourri, et du snouf grigrigri gragragra.

« Si tu veux, je connais un bel endroit en Argentine où tu pourrais te réfugier, si tu es si malheureux ici, proposa Lise.

— C'est malin, ça. »

Finalement, après cette liste des réjouissances de la vie occidentale, dans un enchaînement qui devait lui paraître logique, il s'intéressa à moi :

« Alors comme ça vous travaillez chez Larousse ?

— Oui, c'est ça.

— Et c'est là-bas qu'on vous apprend à économiser vos mots ? »

Il était bien entendu du genre à rire de ses propres blagues. Et moi, parfaitement ridicule, je lui souriais. Tout m'oppressait. L'énorme horloge me terrorisait. Et toutes ces reliques religieuses que je découvrais à mesure que mon regard parcourait la pièce m'accusaient d'avoir tué Jésus-Christ. J'ai tenu bon pendant tout le repas et, enfin, on servit le café. Mais j'avais fait tellement d'efforts que je redoutais les dernières minutes. Pendant ce petit moment de calme qu'était l'attente du café, et le retour de la salle à manger vers le salon, je fis un bilan. Et je me demandais vraiment pourquoi je restais ici. Sûrement pour Alice, bien sûr, qui passait sa main dans mon dos, chuchotant : « Tu sais, c'est important pour moi… et je suis désolée de l'attitude de mon père… il n'est pas toujours comme ça… c'est un gentil au fond… je pense qu'il est tendu… il faut juste se mettre à sa place, c'est la première fois que je lui présente quelqu'un… » Je regardais Alice pendant qu'elle tentait de justifier l'injustifiable. J'aurais tellement préféré qu'elle me dise : « Mon père est un gros con, mais c'est mon père et je l'aime. Alors voilà, tu fais avec… » Cela aurait été bien plus simple, mais cela n'arriverait jamais. Elle baignait dans une vapeur d'irréalité dès qu'il s'agissait de lui.

C'est au moment du café que j'ai craqué.

« Au fait, je ne sais même pas comment vous vous êtes rencontrés tous les deux, interrogea-t-il.

— C'était à une soirée…, commença Alice.

— Enfin une soirée, ce n'était pas vraiment une soirée, l'interrompis-je. C'était dans un club échangiste. Alice était allongée entre deux blacks, et ce fut tout de suite le coup de foudre entre nous. »

Après un long moment, Alice regarda son père. Il paraissait vraiment choqué, et cela dicta sa conduite. Elle cria, mais ce ne fut pas si fort que ça, comme un cri froid :

« Tu t'en vas. Tu pars tout de suite. »

Je me suis levé, j'ai pris ma veste, au revoir. Mais, avant de partir, je me suis retourné pour dire :

« Merci encore pour le lapin. »

Dans l'escalier, j'ai entendu des pas derrière moi. J'ai pensé que c'était Alice, j'aurais tellement aimé que ce fût Alice, mais c'était Lise qui me rattrapait.

« Alice ne te pardonnera jamais.

— Je ne sais pas quoi dire.

— Ne dis rien. Mais moi je voulais juste te dire que j'ai adoré. C'était bien ce que tu as fait. Comme c'était bien. »

J'ai descendu les marches avec l'écho des mots de Lise dans ma tête, et ils ne me réconfortaient pas. Je savais que j'avais commis quelque chose d'irréversible. Mais je n'étais pas vraiment triste. L'attitude d'Alice m'avait tellement déçu. Je m'étais détesté pendant ce repas, à jouer le guignol, à me faire croire que je pourrais être le gendre idéal de ce ramassis de haine.

J'ai marché longuement, pour digérer les événements. Tout autour de moi avait la couleur du dimanche. J'allais entamer une nouvelle partie de ma vie, et j'éprouvais autant d'excitation que de frayeur.

DEUXIÈME PARTIE

I

Les premiers jours ne furent pas les plus dif-
ficiles. Je me disais qu'il lui faudrait juste un
peu de temps pour accepter mon dérapage du
dimanche familial. Puis le temps a passé, et j'ai
admis qu'Alice ne ferait pas marche arrière. J'avais
franchi les limites du pardonnable. Nous serions
malheureux chacun de son côté, et peut-être éprou-
verions-nous du chagrin aux mêmes moments,
comme unis dans ce que nous vivrions séparé-
ment.

Le plus compliqué était de faire bonne figure au
bureau. Débuter dans un nouvel emploi, c'est sourire. Je m'entraînais chaque matin, sur le chemin
qui me menait chez Larousse, à détendre ma
mâchoire. J'arrivais ainsi avec des dents disponi-
bles. Personne ne pouvait deviner le deuil amoureux que je vivais intérieurement. Ma blessure, je

ne la partageais qu'avec Paul. Sa présence fut vraiment importante, à cette période. La situation n'était pourtant pas simple : alors que j'avais été embauché, on lui avait simplement proposé de prolonger son stage. Nous n'étions plus côte à côte, j'étais devenu son responsable. Il fallait imaginer ce paradoxe : j'étais consolé par quelqu'un à qui je devais donner des directives. Il m'arrivait de retenir un sanglot en lui demandant d'aller faire une photocopie.

« Merci Paul… merci pour tout.

— Mais de rien, Fritz. J'ai juste répondu au téléphone. »

Mes premières responsabilités professionnelles seraient pour toujours liées à ce souvenir de fragilité amoureuse. Était-ce un signe ? Allais-je devoir par la suite choisir entre un épanouissement affectif ou une carrière réjouissante ? Toujours cette question majeure : pouvait-on tout avoir ? Ne payait-on pas forcément ce qu'on gagnait par ailleurs ? Autant de questions qui encombraient mon esprit, et qui devaient commencer à fatiguer Paul. Heureusement pour notre amitié, il recevrait bientôt une proposition de travail du *Petit Robert*. Nous deviendrions alors des concurrents, pour notre plus grand soulagement.

Il y avait aussi une autre raison à la capacité d'écoute de Paul : il était heureux. Vraiment heureux. De ce bonheur quasiment irritant pour les autres. Il venait de rencontrer une fille, et j'avais bien senti qu'il me cachait quelque chose. C'est toujours délicat de déballer son bonheur devant un ami malheureux. Je me disais que c'était étrange tout de même : il l'avait rencontrée au moment précis où Alice et moi nous séparions. N'y avait-il qu'une place pour deux au spectacle de la vie amoureuse ? Je préférais ne pas réfléchir à cette hypothèse qui aurait pu me conduire à guetter le déclin de son histoire. Un jour, à déjeuner, je me lançai :

« Tu es heureux, je le vois.

— Pourquoi tu dis ça ?

— Parce que tu es mon ami, et que je le vois. Je le vois à ta façon de regarder le menu.

— Ah bon ?

— Quand on est heureux, le menu n'a aucune importance. Alors que moi, à peine entré, je veux tout de suite connaître le plat du jour. Parce que ce sera sûrement l'apothéose de ma journée. »

Paul applaudit. Je l'avais pris dans le filet de ma perspicacité. Il partit alors dans le grand monologue de sa rencontre amoureuse.

Tout avait commencé depuis un mois. Ils s'étaient rencontrés chez des amis communs. Rien de bien exceptionnel, avoua-t-il, mais il ajouta aussitôt : « Tu vas voir, la suite de l'histoire est incroyable. » Alors, j'attendais avec impatience la suite, tout comme j'attendais le hachis parmentier commandé sans grande conviction. Il me décrivit un salon, où l'un de ses amis fêtait l'obtention de son diplôme. Il y avait peut-être une trentaine de personnes, et l'atmosphère oscillait entre le chic et le décontracté, sans que l'on puisse vraiment savoir laquelle des deux tendances dominait l'autre. Une petite musique jazzy qui rappelait celle de la soirée dans *Breakfast at Tiffany's*. On buvait du champagne, et il y avait des petits toasts triangulaires. Dans ces toasts, on trouvait du saumon, du tarama ou encore de la mousse de foie. Je me demandai pourquoi Paul me racontait tout ça, avec autant de précision. Il dut lire dans mes pensées (l'amitié), et m'expliqua que tout ceci aurait son importance. Et surtout le fait qu'il n'aimait pas le saumon.

« Hein Fritz, tu te souviens que je n'aime pas le saumon ?

— Oui.

— Bon, alors ça va. »

Ainsi, Paul n'avait mangé aucun petit canapé au saumon. Et, grâce à cela, il était tombé amoureux de Virginie.

« C'est tout ?

— Non, attends, je vais t'expliquer. Mais les deux choses sont liées. »

Il prenait son temps, savourait son récit. On aurait dit qu'il se la racontait à lui, son histoire, un peu comme ceux qui nous montrent des photos juste pour se voir. Il cherchait à créer un suspense. Et très logiquement, il se leva pour aller aux toilettes, me laissant suspendu à un échafaudage de théories concernant le lien entre la rencontre d'une femme et le manque de goût pour le saumon.

Il revint et reprit son récit. Le saumon n'était apparemment pas frais. Au bout d'une demi-heure, tous ceux qui en avaient mangé commencèrent à se sentir mal, tiraillés par de très fortes douleurs à l'estomac. C'était un spectacle surréel. Les invités s'affalaient les uns après les autres. Tout le monde, oui. Sauf une personne. Et cette personne, c'était Virginie bien sûr. Une fille que Paul n'aurait jamais remarquée dans la foule, et c'est de la contagion du saumon qu'elle s'extirpa. Ils étaient comme élus, comme deux survivants du *Titanic*. Un cas pareil ne pouvait pas être le fruit du hasard. Si on allait à une soirée, et que tout le monde tombait à vos pieds, sauf une personne, c'est que vous étiez destiné à rencontrer cette personne.

Ils appelèrent plusieurs médecins, et l'on fit des injections aux intoxiqués. Paul et Virginie, eux, partirent à une autre soirée, émerveillés par ce qu'ils venaient de vivre. Je tentai encore et encore d'imaginer la scène. D'être dans une foule, et de voir cette foule s'évanouir pour ne laisser place qu'à une seule femme, subitement révélée, comme une apparition. C'était magique, je restai bouche bée. Paul parut heureux de ma réaction. Et il y avait de quoi, c'était l'une des plus belles histoires que j'avais jamais entendues.

II

Je me noyais dans le travail. Je vivais avec les mots : avec eux, il n'y avait jamais de dispute. Alice me manquait, c'était un manque presque étouffant, mais je n'avais pas envie de l'appeler. Je n'avais envie de voir personne. Ce fut sûrement la période la plus solitaire de ma vie. Je marchais beaucoup, et il m'arrivait de croire que je serais capable d'écrire un roman. Je comprendrais plus tard qu'il ne faut certainement pas vivre entouré de mots pour pouvoir écrire. Pour écrire, il faut s'échapper des phrases.

Ma vie était réglée, j'avais des collègues, et nous échangions des anecdotes devant la machine à café. J'apprenais les histoires de chacun, les guerres et les adorations. C'était un monde clos, un univers dans lequel une communauté était enfermée. Nous marchions tous vers une même destination : la publication annuelle du *Larousse*. Je passais beaucoup de temps au sous-sol, où étaient entreposées les archives. C'était un endroit où le temps n'existait pas, où rien ne filtrait de notre modernité, et je filais alors des heures heureuses. Bien sûr, c'était parfois fastidieux. Surtout quand je devais faire de nombreuses photocopies. Je m'installais près de la machine, et j'écoutais son ronron. Je ne sais pas pourquoi mais je pensais à Alice dès que je faisais une photocopie. C'était un processus de liaison dans ma tête qui n'avait aucune raison d'être, mais c'était ainsi. Cette salle de photocopie était comme un autel en souvenir d'Alice. J'y éprouvais de la tristesse, de la nostalgie, et parfois aussi du bonheur en repensant à nos meilleurs épisodes.

Un jour, alors que j'étais dans cette pièce, Céline Delamare fit son entrée. Je la croisais assez peu, finalement. Mais à chaque fois, il y avait comme une tension qui se traduisait par des sourires appuyés. J'eus le sentiment qu'elle était contente que je sois là. J'eus aussi le sentiment que le moment à venir était en germe depuis le premier instant, qu'il avait juste fallu attendre pour le voir éclore. Je ne pensais presque jamais à elle, mais dès qu'elle était devant moi, elle m'occupait tout entier.

« Vous êtes triste », me dit-elle. C'était une étrange entrée en matière.

« Pourquoi dites-vous ça ?

— Je le vois, c'est tout.

— Et à quoi ?

— Je le vois à votre façon de faire des photocopies.

— Ah ?

— Oui, je suis directrice des ressources humaines, et j'ai développé un don unique. Je suis capable de savoir ce qui se passe dans la tête d'un employé au moment où il fait une photocopie.

— C'est un don exceptionnel, effectivement.

— Oui, vous pouvez essayer. »

Je restai un instant sans bouger. Puis je pris une feuille pour la disposer dans la photocopieuse. J'agis lentement, décomposant chacun de mes gestes, tout en la regardant fixement. Puis je lui demandai :

« Alors, quel est mon état d'esprit ?

— Vous voulez boire un verre avec moi ce soir. C'est ce que votre photocopie dit. Et j'accepte. Rendez-vous au café d'en face à 19 heures. »

Sur ce, elle partit. Je me mis à rire, cela faisait bien longtemps que je n'avais pas ri ainsi. Elle avait été si vivante, dans sa façon d'être et de parler. Cet instant marquait un renouveau. J'allais vers une autre femme, et ce ne serait jamais anodin pour moi. Je me demandais ce qu'elle me trouvait. J'étais tellement plus jeune qu'elle. Représentais-je une sorte de fantasme ? Envisageait-elle aussi sa vie sexuelle comme une directrice des ressources humaines ? Je ne voulais pas trop y réfléchir, et je me laissais porter jusqu'à notre rendez-vous, dans une ambiance que je protégeais de mes attaques dépressives.

Elle avait quelques minutes de retard, mais ne s'excusa pas. Elle constata que j'avais commandé un verre de vin rouge en l'attendant, et parut satisfaite de mon choix. On avait souvent l'impression qu'elle passait tout au crible. Que la vie était soumise à son approbation. Pourtant, dès ce premier moment entre nous, je perçus des failles dans son assurance. Sur son visage, il y avait même des passages d'enfance, comme une petite fille qui a peur de mal agir. Nous avions quinze ans de différence, mais il n'y avait aucune éducation sentimentale entre nous. Nous étions sur le même plan. Restait à le définir. Nous avons parlé travail, et nos phrases n'avaient aucun intérêt. On critiquait certains employés, on en aimait d'autres, on s'enlisait dans un espace aseptisé. Où était donc la femme de l'après-midi ? Elle ne prenait pas assez les choses en main, et je détestais plus que tout la médiocrité. Il fallait absolument que ce moment soit magique, car nous étions dans le manège de la séduction, un manège qui rend ridicule toute échappée ratée. Avant Alice, combien de fois avais-je été anéanti par des rendez-vous qui n'avaient été que sympathiques ? Je voulais tellement vivre de belles choses. C'était une ascendance qui me poussait parfois à tirer vers l'exceptionnel le vêtement pauvre d'une banale rencontre.

*

Gérard Ribaud (1910-1959). Écrivain français né à Genève. Ami proche de Drieu la Rochelle, il fut très affecté par son suicide. Après la guerre, il erra de nombreuses années dans Paris, pour en tirer un recueil de prose poétique justement intitulé « Errances ». Alors qu'il était en train d'écrire, pris par le dégoût, il inscrivit subitement sur son manuscrit : « c'est médiocre ». Puis il se jeta par la fenêtre.

*

Je me suis levé pour partir, en pensant que cette rencontre était bien médiocre. Céline m'a suivi dans la rue. Et tout est subitement devenu plus simple. Je sais maintenant que, tous les deux, nous n'étions pas faits pour être assis. Nous devions toujours être allongés ou debout. Elle me prit le bras, le serra fortement, un peu trop fortement même. À tout autre moment, j'aurais détesté qu'une femme fasse ainsi preuve de virilité, mais à cet instant, j'avais envie d'être guidé. Je voulais enfin avoir quelqu'un dans ma vie qui me dise que faire. Elle allait jouer ce rôle, bien malgré elle. Céline Delamare est venue chez moi. Alors que nous aurions dû nous jeter l'un sur l'autre, elle est restée à contempler ma bibliothèque. Je l'ai regardée regarder mes livres, et j'ai aimé cet instant qui mélangeait la féminité et les pages. Je me suis approché d'elle, j'ai relevé sa jupe, et c'est seulement une fois qu'elle avait les genoux découverts que je l'ai embrassée.

I V

« Tu es mariée depuis longtemps ? lui ai-je demandé un peu plus tard.

— Comment sais-tu que je suis mariée ?

— Tu as une alliance.

— Je suis mariée depuis dix ans.

— Et tu n'es pas heureuse ?

— Je suis heureuse maintenant. »

Elle avait détaché les syllabes de maintenant, elle avait dit *main-te-nant*, et c'était une façon de faire durer le présent.

Je ne sais pas si la vie de Céline Delamare aurait mérité une notice dans le *Larousse*, mais j'allais apprendre à la connaître. Ce serait long, elle se livrerait lentement, avec des incohérences ou, pour être plus juste : des envies de ne pas se résumer. Finalement, je pourrais écrire que c'était une jeune fille de province montée à Paris pour faire des études de marketing, qu'elle s'était retrouvée chez Larousse dès son plus jeune âge, que la vie lui avait alors paru pleine de possibilités, surtout au merveilleux moment de sa rencontre avec Harold, un

Anglais un peu plus âgé qu'elle, ils s'étaient embrassés au petit matin, avec la promesse de se revoir vite, ils s'étaient revus car c'est toujours bien de tenir ses promesses, ils avaient dîné ensemble, elle avait le visage des jours tristes, et ils avaient dîné à nouveau, elle avait le visage des jours heureux, ils étaient allés voir un film romantique, et puis ils y étaient retournés, voir une comédie cette fois, toute la vie en deux films, pendant ces jours de la naissance de leur amour, ils n'avaient cessé de s'envoyer des messages, et le cœur palpitait à chaque sonnerie, et les mots étaient devenus de plus en plus tendres, si bien qu'ils avaient arrêté de s'écrire, et ils avaient arrêté de se parler pour pouvoir s'embrasser, ce fut bien, puis ce fut moins bien, puis ce fut bien à nouveau, ils avaient dormi l'un chez l'autre au hasard de leurs soirées, sans rien prévoir, elle avait rencontré ses amis, et il avait rencontré ses amis, ils avaient planifié des vacances ensemble, et comme tout se passait toujours bien, ils avaient décidé de vivre ensemble, chaque jour c'était merveilleux de se réveiller l'un près de l'autre, il aimait la voir en petite culotte parcourir leur appartement, il aimait quand elle préparait des repas exotiques, ils pensaient alors que le quotidien serait une oasis qu'on ne touche jamais vraiment, il la demanda en mariage, et elle se mit à pleurer, car ce serait forcément le plus beau jour de sa vie, Céline Delamare avait été une jeune femme romantique, ils avaient été heureux ce jour-là, si heureux, de ce bonheur qui fait peur, elle pensait alors que tout allait continuer ainsi, comme une autoroute de l'épanouissement, mais progressivement Harold fut de plus en plus happé par son travail à la banque, l'argent dormait mais lui de moins en moins, lentement, et tout cela était bien classique, ils ne partagèrent plus que des questions pratiques, le temps d'une interrogation sur un lied de Schubert paraissait bien révolu, le temps d'une exposition le dimanche après-midi était en noir et blanc, et Céline Delamare avait tenté de mettre de la vie, et encore de la vie dans les années qui passaient, les années qui ressemblaient les unes aux autres, les années qui ne se différenciaient que par le mouvement d'un chiffre, Céline voulait surtout un enfant, un désir intense, mais Harold avait toujours refusé, au nom d'un monde en déclin, au nom d'une enfance difficile, et Céline l'aimait, elle l'aimait vraiment, elle l'aimait au point de ne pas avoir d'enfant, d'être juste là, idiote et lasse, l'ombre d'un mari qui n'existait plus vraiment.

J'étais sa vengeance, j'étais son espoir. Je n'arrivais pas à savoir si je la trouvais pathétique, ou si j'étais profondément ému par son côté *féminité déchue*, son côté femme qui aborde la quarantaine comme elle marcherait au bord d'un précipice. Il n'y avait aucun doute, elle aimait son mari, et sûrement vivaient-ils des instants de douceur encore, mais il y avait entre eux l'incompatibilité du désir d'enfant. Étrangement, j'avais l'impression qu'elle vivait dans nos heures sensuelles quelque chose qui se rapprochait de son désir de maternité. Il y a toujours un lien, dans la sexualité d'une femme, avec la nature profonde de la procréation. En la désirant, en la léchant, en la prenant, je redonnais des gages à son statut de femme. Notre relation était très vite devenue d'une grande énergie érotique. Nous trouvions tous les deux notre équilibre ainsi. Elle voulait être mariée, je ne voulais plus m'engager après Alice. Notre terrain d'entente était un lit.

Ce furent des moments de belle intensité sensuelle. Je me sentais libre d'être à l'aise, d'expérimenter, de demander des choses à Céline. Il y avait aussi un fait que peu de gens peuvent imaginer : le sexe entre deux salariés de Larousse comporte toujours une autre dimension. Nous étions dans la vie des définitions, et cela nous propulsait parfois dans d'étranges sensations. J'étais allongé sur le lit, et Céline venait lentement vers moi. Sa langue chatouillait mon cou, et elle faisait lentement glisser sa main vers mon sexe. Puis sa bouche :

Fellation n.f. (du lat. *fellare*, sucer). Excitation buccale du sexe de l'homme.

Et nous échangions les rôles :

Cunnilingus ou *cunnilinctus* (lat. *cunnus*, con, et *linctus*, léché). Excitation buccale des organes génitaux féminins.

Ainsi, dans nos fantasmes, il n'était pas rare que notre sexualité soit gangrenée par du latin. Même si le travail de Céline était bien différent du mien, elle adorait, tout comme moi, se plonger dans le monde des mots. Quand nous tombions sur une définition tendancieuse, on se l'envoyait par mail. Nous formions à nous deux la version érotique du *Larousse*. Nos jeux corporels pimentaient réellement le quotidien. On se croisait dans les couloirs, elle me convoquait souvent : jamais aucun contrat de travail n'avait présenté autant de problèmes ni demandé autant d'ajustements. Parfois, je montais dans son bureau, et elle m'embrassait avec une grande frénésie. Je repartais aussitôt, sans avoir dit le moindre mot. Notre excitation venait aussi du fait que personne ne savait rien au sein de l'entreprise. C'était notre secret, notre corpus intime. J'aimais faire parler les gens sur elle, fantasmer des idioties sur sa vie, et elles coulaient dans mes oreilles pleines de la vérité de Céline Delamare.

Si j'éprouvais de fortes émotions à son contact, je n'avais pas l'impression d'avoir de sentiments. Elle ne me manquait jamais, et ne traversait que rarement mes nuits et mes rêves. Je crois surtout que mon cœur continuait de cicatriser Alice. Parfois, je sentais Céline dans un désir plus concret. Sans prononcer des phrases décisives, je me doutais qu'elle avait réfléchi à la possibilité de tout quitter pour moi. En prévision, je ne cessais de dire à quel point je m'épanouissais dans cette relation qui contournait nos vies. Pour cela, j'évitais de la voir trop souvent, je lui parlais d'autres femmes qui me plaisaient. Je tentais de nous maintenir dans une ambiance joyeuse qui était parfaitement artificielle. Plus on avançait dans la sexualité, plus on détruisait notre capacité à avoir une identité sociale. Une identité ensemble. C'est l'infini paradoxe de la sexualité ; plus on s'encastre, plus on se sépare. Nous jouions la parfaite partition d'un monde irréel. Tout cela n'aurait qu'un temps, et une destination : la fin.

V

Cette période se termina suite à un événement aussi important qu'inattendu. C'était un soir, à la sortie du bureau. Une femme est venue vers moi. J'ai mis plusieurs secondes à la reconnaître. Quelque chose avait changé en elle. Sûrement ses cheveux. Ils avaient poussé, et cela offrait au visage de cette fille l'éclairage d'une tout autre féminité. C'était Lise, la sœur d'Alice. Nous sommes aussitôt allés nous asseoir dans un café. J'ai commandé de l'alcool. Elle aussi. Alors seulement, elle m'expliqua le but de sa visite.

« C'est à propos d'Alice », dit-elle simplement.

Je ne savais pas si cela annonçait une nouvelle grave ou joyeuse. J'avais pendant des semaines tenté de vivre loin d'elle, loin de nos souvenirs, et le visage de Lise me foudroyait d'une évidence à peine enfouie.

Elle me posa quelques questions sur ma vie sans sa sœur, auxquelles je répondis très brièvement. Selon elle, notre situation était ridicule. Nous étions encore amoureux. « Cela sauterait aux yeux d'un myope », dit-elle en riant. Et son rire était communicatif. Lise était une joie de vivre, de cette joie de vivre des comédies italiennes des années soixante. En l'écoutant, tout se recomposait en moi, tout revenait. « Il faut réfléchir à ce que nous pouvons faire pour vous remettre ensemble ! » continua-t-elle, excitée à l'idée de cette entreprise qui l'attendait. Elle m'invita à dîner pour penser à la suite des opérations, à la réparation amoureuse. C'était juste avant la nuit, nous marchions et j'étais à nouveau dans les conditions de mon passé. J'avançais dans le monde d'Alice, avec sa sœur. Lise, je ne l'avais jamais considérée comme une femme. Elle était comme la compagne de mon meilleur ami. Et pourtant, en montant chez elle, ce soir-là, je contemplais ses formes, sa féminité. Plus ronde que sa sœur, elle était plus charnelle. Après quelques verres, je me suis posé la question : ne devrais-je pas plutôt être avec elle ? Je crois qu'elle se l'est posée aussi, au même moment que moi, dans une fulgurance qui resterait orpheline, car plus jamais nous n'envisagerions cette possibilité.

Quel étrange contraste de découvrir, chez une jeune femme pleine de vie, des photos de nazis. Je m'attardai sur certains visages. Soudain Lise m'interrompit :

« Tu sais, toi qui parles toujours de la Suisse comme du pays idéal, eh bien on vient de découvrir encore de nombreux documents expliquant à quel point les Suisses ont facilité le passage de ces criminels en Argentine.

— Ça ne m'empêchera pas de vieillir là-bas !

— D'accord, d'accord. On évite la Suisse alors. »

Lise me montra la photo d'Alois Hudal, un évêque autrichien qui protégea à Rome d'anciens nazis, mais qui parvint surtout à faire passer en Amérique du Sud Adolf Eichmann et Josef Mengele. Elle m'expliqua la complexité des situations, parfois même l'intervention d'États complices, et de services secrets, notamment américains. Ce qu'elle me racontait me captiva.

« Comment en es-tu venue à travailler sur un tel sujet ?

— Ce qui me fascine, c'est l'inversion des situations. Tous ces chefs du monde qui se retrouvent subitement traqués. Tu vois, j'ai toujours rêvé d'écrire un livre sur un collaborateur sauvé par un juif.

— C'est une bonne idée, dis-je mollement.

— Tu sais être enthousiaste, toi !

— Non vraiment, c'est une bonne idée.

— Oui, et j'ai déjà le titre. Ça s'appellerait "Je suis nulle part". Le collabo aurait été une sorte de Brasillach, journaliste à *Je suis partout*, et aurait fui lors de la libération de Paris. Traqué, il se serait terré dans une chambre de bonne, et n'aurait dû son salut qu'à l'aide d'un juif… »

Lise évoqua les derniers jours de Brasillach, dont on arrêta la mère pour le pousser à se rendre. C'était un autre temps, mais un temps que je sentais si présent, comme si les frontières entre les années étaient poreuses, comme si les époques avaient le pouvoir de déteindre les unes sur les autres. Par exemple, j'avais parfois l'impression que Paris était encore une ville occupée. Étrange sensation. C'est aussi peut-être ce qui nous unissait, Lise et moi, dans cette soirée d'un autre temps, cette soirée qui marquait le retour d'Alice. Elle parla de son projet de livre, encore, et la nuit encore. Ce livre qu'elle n'écrirait jamais finalement. Mais il est prématuré d'expliquer pourquoi.

VI

Avant d'organiser nos retrouvailles faussement fortuites, Lise avait donc eu la confirmation que j'étais encore célibataire, et que je voulais revoir Alice. Comme par hasard, nous nous sommes retrouvés dans la même salle de cinéma. Ils passaient, dans le cadre d'un cycle sur le cinéma allemand, *Les ailes du désir* de Wim Wenders. D'une manière générale, il ne faut jamais croire au hasard. Quand on croise quelqu'un, comment prouver que cela n'est dû qu'à un concours de circonstances ? J'ai vu Alice, avant qu'elle ne me voie. Elle était comme au premier jour, immobile dans mon regard, avec le vertige intact de ma première impression. Je me suis approché d'elle, ce qu'elle a senti, puisqu'elle s'est retournée. Nous nous sommes regardés un instant, droit dans les yeux, iris figés, et puis, simplement, nous avons souri. Nous nous étions tant manqué.

Alice jeta un regard à sa sœur. Un regard d'interrogation. Lise n'avouerait jamais, et je ne la trahirais pas. Mais il était évident qu'Alice n'était pas dupe de ces fausses retrouvailles. Il suffisait de ne rien dire, comme on ne dévoile pas un tour de magie. C'était rafistolé, mais nous avions tellement envie de ce rafistolage. Jamais je n'avais éprouvé un tel désir de rafistolage avec quelqu'un. Lise nous laissa seuls, car le rafistolage est une science intime. Nous sommes ainsi restés tous les deux dans notre subit rafistolage. Je voulais m'étourdir de ce mot qui m'apparaissait subitement comme l'un des plus beaux de la langue française.

Rafistoler v.t. Fam. : Réparer grossièrement.

La grossièreté de l'action n'avait aucune importance, on voyait les contours, on voyait les artifices, mais qui se souciait des ficelles quand le bonheur était là ? Nous avons marché, simplement. J'ai repensé au temps de mon adolescence où, après une longue hospitalisation, j'avais été ému aux larmes du simple fait de me promener, de respirer l'air de tous. C'était sûrement la comparaison la plus juste ; revoir Alice était une guérison. Je guérissais du temps sans elle. Plus rien ne serait pareil.

Pour ne pas gêner ce nouveau départ, il fallait éviter d'évoquer le temps de notre séparation. Ce que nous avions fait l'un sans l'autre devait n'avoir aucune importance. L'essentiel était d'être là, réunis dans notre désir commun. Une seule nécessité : je devais reparler de notre dernière fois. Ce que je fis, m'excusant de mon impolitesse. Je voulais aussi écrire à ses parents. Elle était très heureuse à cette idée. Ou pour être plus précis : elle était heureuse que je propose d'écrire cette lettre, et c'était ça qui était le plus important. Elle m'avoua que son père s'était senti responsable de ce qui s'était passé.

« Oui, continua-t-elle. Ce que je n'ai pas aimé dans ton comportement, c'est que tu n'aies pas compris à quel point il était mal à l'aise. Mal que je lui présente un garçon. Et je n'ai pas aimé que tu ne m'écoutes pas, que tu ne comprennes pas la tendresse que j'éprouve pour lui. Ça ne m'empêche pas d'être lucide sur ses défauts, ses préjugés. »

Ainsi, nous recomposions le souvenir de ce dimanche, et nous trouvions tout cela bien ridicule. Cela avait été absurde.

« On ne se sépare plus. Dis-moi qu'on ne se sépare plus.

— Je te le dis, Alice.

— Plus jamais.

— Nous vieillirons ensemble. »

Cette dernière phrase la fit sourire car elle évoquait un de nos souvenirs. Je lui avais acheté le DVD du film de Maurice Pialat *Nous ne vieillirons pas ensemble*, et j'avais colorié en noir les négations. C'était peut-être cela que nous devions faire pour être heureux ensemble, colorier en noir les négations.

VII

Je ne sais pas si les femmes sont dotées d'une intuition particulière, mais Céline Delamare vint me voir dès mon arrivée le lendemain. En fait, je le sais très bien, les femmes ont des antennes qui leur permettent de repérer les autres femmes, elles se connectent entre elles dans l'espace de leur rivalité, un espace invisible aux yeux des hommes. J'avais ma nuit avec Alice sur le visage, et elle n'avait qu'un vague brouillon de moi sur le sien. J'avais subitement l'impression qu'elle avait vieilli. Céline Delamare était une autre Céline Delamare, parce que je la regardais différemment ce matin, parce que je savais qu'il fallait mettre un terme maintenant à notre parenthèse sensuelle. Elle me proposa de déjeuner, et je savais que ce déjeuner serait long. Je savais surtout que nous ne devions pas être assis.

Elle s'est assise en face de moi. Ses longs cheveux étaient parfaitement lisses puisqu'elle cherchait à me plaire. Je voulais instaurer une ambiance « un café et l'addition », alors que je la sentais totalement « entrée, plat et dessert ». À l'évidence, le serveur était de son côté car il déroulait avec complaisance les spécialités du jour. Pendant qu'elle hésitait (c'était une femme précise et volontaire, mais qui hésitait toujours sur les plats), je pensais à la nécessité de vivre ce moment. Il fallait éclaircir la situation, et il fallait le faire dans des conditions décentes, et pas sous un drap. J'aimais son corps, et je savais que face à sa nudité je ne pourrais jamais tenir le même discours. C'était plus simple ici, avec des témoins et une table entre nous, de dire :

« Je me suis remis avec Alice.
— Et alors ? »

Sa réponse me sidéra. J'avais pensé qu'elle accuserait davantage le coup.

« Tu sais, je ne suis pas idiote. J'ai toujours su que tu l'aimais encore, et que tu la retrouverais. Mais pourquoi tu m'annonces ça avec une tête d'enterrement ?

— Je… Je…

— C'est pour nous, c'est ça ? Mais franchement, qu'est-ce que ça change ? Je suis mariée, tu as une fiancée. C'est encore mieux. Notre rapport sera équilibré.

— Mais, je n'ai pas envie de la tromper.

— Avec moi, tu ne la trompes pas, tu continues juste notre histoire. Comment peux-tu refuser ? On se verra quand tu veux où tu veux.

— Mais je ne veux pas.

— Et si je te supplie ? Et si je te supplie de ne pas m'abandonner ? »

Je n'avais jamais vu quelqu'un passer aussi vite de la force à la faiblesse. Elle me demandait maintenant de ne pas la quitter, de résumer notre histoire à un simple échange sexuel, un échange dont il était ridicule de se passer, ce serait notre secret, notre monde intérieur, et puis elle ferait tout pour m'épanouir, tout pour me plaire. Je ne comprenais pas pourquoi elle mettait autant d'énergie à vouloir rester près de moi, à avoir des miettes de moi, à être une ombre de mon désir. Bien plus tard, je compris que le refus de son mari d'avoir un enfant l'avait fragilisée au point qu'elle ne supportait plus le moindre abandon. J'étais bien trop immature pour comprendre son attitude (je ne voyais qu'une femme incapable de se passer de moi), et bien trop peu clairvoyant pour comprendre qu'il me fallait la fuir dès maintenant. Avant qu'il ne soit trop tard.

Après le dessert, puis le café, l'addition arriva enfin. Dans un murmure, je promis de la retrouver vite. Je sentis son pied remonter le long de ma jambe. Mon excitation était réelle.

VIII

Les choses allèrent très vite. Comme si le temps de notre séparation avait été un temps de maturation. Nous avons décidé de prendre un appartement ensemble, situé dans un immeuble avec une grande cour intérieure. Je ne sais pas pourquoi mais je pense souvent ma vie par rapport à celle d'Antoine Doinel [1], et il me semble maintenant que j'arrivais à la fin des baisers volés. Que ma vie entrait dans le domicile conjugal, et il y avait tant de Claude Jade dans Alice (surtout quand elle dormait). J'aimais quand elle mettait des jupes un peu rétro, et que nous vivions dans l'ambiance orange des années soixante-dix. On vit tous les mêmes vies.

1. C'est tout le problème avec Truffaut : il a filmé ma vie avant que je ne la vive.

J'avais téléphoné à mes parents pour leur dire que je m'installais avec Alice. Pour leur rappeler que j'existais surtout. Je pensais qu'ils étaient accros à l'amnésie. J'avais eu beaucoup de mal à les joindre, car ils n'avaient pas de téléphone portable. Ils ne supportaient pas l'idée d'être joignables. « Autant aller en prison tout de suite », disaient-ils en chœur. Ils parlaient souvent d'une même voix. Et je n'avais jamais su s'ils étaient toujours d'accord, ou si l'un des deux dominait outrageusement l'autre. Je penchais pour la première solution. Quand on menait une vie comme la leur, mieux valait être en parfaite adéquation. Peut-être que j'en rajoute dans la caricature ? Ma mère éprouvait de l'affection pour moi, je le savais, et je me souviens de ses mots : « Tu vas emménager avec elle. Tu grandis, mon fils, tu grandis. J'ai hâte de mieux la connaître, ta fiancée. » Elle avait parlé simplement et j'ai été submergé par l'émotion après avoir raccroché. Dans un désert, ces paroles étaient comme une pluie subite de tendresse.

Nous sommes allés chez Ikea, et nous nous sommes disputés chez Ikea. Dans ce grand magasin, ils devraient embaucher un conseiller conjugal. Car s'il existe un endroit où le cœur des couples se révèle, c'est bien là. Je me demande même si tous ces meubles à construire ne sont pas qu'un grand prétexte pour semer la zizanie sentimentale. Je suis presque certain que le fondateur d'Ikea devait être un Suédois dépressif (on frôle le pléonasme), sans vie affective, et qu'il a trouvé le moyen d'anéantir celle des autres. Tous les étudiants en sociologie devraient aller faire un stage là-bas, tout y est. Alice et moi n'avons pas dérogé à la règle.

Il y avait un monde fou, un monde composé quasi exclusivement de couples, et nous nous regardions tous discrètement, comme pour comparer nos vies entre les rayons. Je poussais un grand chariot impossible à manœuvrer. À mon angoisse du lieu s'ajoutait l'effort physique. Alice hésitait, et pire que tout : me demandait mon avis. Je n'avais aucun avis ici, j'étais lobotomisé. J'étais prêt à dire oui à tout, à acheter ces lampes qui ressemblent à des pissotières géantes, à monter des étagères jusqu'à la fin des temps.

« Oh c'est insupportable d'être ici avec toi. Tu verrais comme tu tires la gueule !

— ... »

Et voilà, c'était tout simple. Le plus fort était bien là : il n'y avait pas besoin de matière, pas besoin de sujet pour s'énerver. L'interactivité dans ce lieu était purement explosive. C'était étouffant, c'était lent. Avec tout ce bois découpé, j'avais l'impression de choisir mon cercueil.

Mais je dois avouer qu'Alice avait vu juste sur bien des points. Notre appartement avait beaucoup de charme maintenant, il paraissait même plus grand. La vie future allait y entrer, ce serait le décor de tout ce qui allait se passer entre nous.

Restait maintenant à écrire les pages de nos années à venir.

IX

La première fois, j'ai ressenti une immense culpabilité. Je me suis senti honteux et sale, avec le sentiment de saccager Alice, de la dégrader, de l'abîmer, de la froisser, d'éparpiller les lettres de son prénom. Mais je n'avais pas su résister à Céline. Nous étions amants pendant que j'étais célibataire, et nous avons continué à nous voir. C'était comme une routine déjà définie. Elle essayait tout le temps de me faire comprendre qu'il n'y avait rien de grave. Que ce que nous faisions n'altérait en rien nos vies, et nos envies.

« Mais toi ? lui demandais-je.

— Quoi, moi ?

— C'est ça que tu veux ? Tromper ton mari ?

— Je ne veux pas parler de lui. C'est ma vie. Je sais juste que j'ai besoin de toi, que je veux tes mains sur mon corps, et entendre ton soupir quand tu viens. Tu ne prends pas de plaisir avec moi ?

— Si, Céline, je prends du plaisir. »

Toutes nos discussions se finissaient ainsi. Il n'y avait rien à redire, jamais, à l'hégémonie du plaisir. J'éprouvais un réel bonheur pendant que nous faisions l'amour, et je n'avais pas le droit de gâcher ces moments. On s'excitait tous, du mieux qu'on pouvait, dans nos alcôves de l'intime. C'était sûrement médiocre, mais la vie était bien trop courte pour être vécue avec l'envie d'être irréprochable.

Elle savait me retenir, aussi. Je dois bien le dire. Céline avait une façon si précise de voyager de la douceur intimidée à une forme presque brutale d'assurance érotique. De son plus grand âge, elle me dominait sûrement, mais il arrivait fréquemment que je prenne en charge nos ébats, et j'aimais alors tenir sa nuque comme s'il s'agissait de son cœur. On se voyait pendant la pause déjeuner, dans un hôtel près du bureau. Parfois, nous apportions une bouteille de vin, ou du champagne, et nous trinquions à la santé de notre plaisir. C'était bon, c'était fou, c'était enfantin. On évitait de parler de nos vies. Surtout de l'enfant qu'elle voulait. Je faisais bien attention à ne jamais faire l'amour sans préservatif. Elle voulait parfois s'en passer, et il m'était arrivé de penser que toute cette histoire n'avait qu'un but : que je lui fasse un enfant. J'ai imaginé qu'Harold, son mari, était stérile. Mais tout cela était un fantasme, une lubie. Céline voulait un enfant avec Harold, mais elle buttait inlassablement contre son non-désir. Ce désir absent, c'était sa stérilité. L'équation était terrible. C'était l'homme de sa vie, et c'était un homme qui ne voulait pas donner la vie.

X

À peine étions-nous installés qu'Alice voulut inviter ses parents. À chaque étape majeure de sa vie, elle avait besoin de leur approbation. Cette rencontre fut bien sûr précédée de quelques petites tensions, au vu du caractère calamiteux de la précédente. Heureusement, un certain nombre de choses avaient changé. Il y avait eu l'explication du malaise du père découvrant le fiancé de sa fille, mais il fallait préciser également un autre point : les deux parents avaient ressenti une grande culpabilité. Ils savaient bien que leur attitude peu aimable avait causé ma réaction, puis le malheur de leur fille. Dès qu'ils entrèrent chez nous, j'ai compris qu'ils étaient devenus bienveillants. Pour ne pas dire sympathiques. Certes, ils demeuraient parfaitement psychorigides et réactionnaires, mais au moins ils faisaient un réel effort pour respecter le choix d'Alice.

J'eus le droit à du Fritz par-ci, du Fritz par-là. Ils s'extasièrent sur le *Larousse*. Gérard évoqua la richesse de notre vocabulaire. Il hésita à ajouter le mot « français ». Je sentais à quel point il mesurait ses paroles. Ses phrases marchaient sur des œufs. Incapable de vraiment s'intéresser à autrui, assez vite il se mit à mouliner dans le vide. Alice vint à son secours :

« Regardez ce meuble. C'est Fritz qui l'a monté ! »

Ils m'observèrent avec une admiration excessive. Subitement, j'avais l'impression d'être Gustave Eiffel. Alice me mettait en avant, elle était tellement mignonne, et rien ne m'attendrissait davantage que ses tentatives de nous élever dans une bonne humeur artificielle. C'était tout ce que j'aimais chez une femme. Quant à moi, je redoublais d'efforts pour paraître la doublure du gendre idéal. J'enchaînais les formules de politesse, et les « vous désirez encore quelque chose à boire ? », alors que leurs verres étaient encore pleins à ras bord de mes bonnes intentions. Ces premières minutes étaient un festival de politesses et de respect. Le tout bien sûr accompagné de petits gloussements savamment dosés. Le but fut atteint : celui d'effacer notre première rencontre. Tout pouvait recommencer, et tout allait recommencer. Évidemment, rien ne peut jamais être aussi simple.

C'est au moment précis où nous allions passer à table qu'un événement se produisit. Un événement terrible puisqu'il pouvait faire dissoner la belle partition que nous étions en train de jouer à l'unisson. Il se produisit par l'intermédiaire d'un appel téléphonique. À vrai dire, je décortiquais dans ma tête ce qui venait de se passer, je n'avais absolument pas eu le temps de réagir, et maintenant qu'Alice, voyant mon visage livide, me demandait avec nonchalance : « C'était qui ? », je lui fis un grand signe de la tête. Signe que nous avions préalablement mis au point entre nous et qui voulait dire : rendez-vous immédiatement dans la cuisine. C'était un cas de force majeure, une catastrophe, un effondrement.

« Mais que se passe-t-il ?

— …

— Dis-moi !

— Ce sont… mes… parents…

— Quoi tes parents ?

— …

— Parle ! Tu m'inquiètes ! Pourquoi tu fais cette tête ?

— …

— Ne me dis pas que… ne me dis pas qu'il leur est arrivé quelque chose… ne me dis pas… ils sont morts ?

— C'est pire.

— Pire ?

— Oui. Ils arrivent. »

Il faut l'avouer humblement : il y a des choses que l'on ne peut pas techniquement décrire [1]. Le

---

1. Pensez peut-être à un dépressif qui tente d'illuminer sa journée en lisant *De l'inconvénient d'être né*, de Cioran.

visage d'Alice à cet instant faisait partie de ce champ impossible à délimiter par le *Larousse*. Puis elle s'est énervée :

« Mais comment ça, ils arrivent ? Il fallait leur dire que ce n'était pas possible. Pas ce soir !

— Mais Alice, je n'ai rien pu faire. Mon père m'a vaguement expliqué qu'ils avaient raté une correspondance, que c'était la galère, et qu'ils arrivaient… et je n'ai rien pu dire.

— Il faut tout éteindre.

— Quoi ?

— On éteint tout. On fait croire à mes parents que c'est une coutume dans l'immeuble. À mon avis, en Pologne, ça doit bien exister de faire le mort entre deux plats.

— Ce n'est pas le moment d'impliquer la Pologne dans notre vie. Ils ont assez souffert comme ça, les Polonais.

— Mais alors quoi ? Fais quelque chose. Tu imagines le choc. Mes parents commencent à peine à se faire à l'idée que je puisse être avec quelqu'un comme toi, alors tu imagines…

— Ça va, j'ai compris », l'ai-je coupée, et c'était sûrement préférable de ne pas entendre la suite.

Alors que j'étais en panique, je dus calmer ma fiancée en lui servant un verre d'eau. Les filles de bonne famille ont les nerfs fragiles. Chose étrange : en tentant de trouver les mots pour la rassurer, je me suis rassuré moi-même. Ce serait peut-être une méthode pour parer à nos angoisses : avoir toujours près de soi quelqu'un de plus friable. J'ai glissé un instant dans une rêverie : je me suis imaginé dirigeant une agence de location de gens faibles. Et je suis revenu à la réalité, avec une Alice qui reprenait des couleurs, celles que j'aime, aux alentours du rose pâle.

Notre situation : si ses parents redoublaient d'efforts, j'avais peur que la rencontre impromptue et prématurée des miens ne ruine nos projets. À peine étais-je entré dans le costume du gendre parfait que mes parents arrivaient pour le froisser. De retour de notre quartier général, la cuisine, nous avons finalement décidé d'assumer cet imprévu. Ils allaient bien se rencontrer un jour ou l'autre, alors, pourquoi pas maintenant ? La mère d'Alice s'interrogea :

« Ah bon, ils n'avaient pas prévu de venir, et ils viennent…

— Oui maman, c'est un imprévu.

— Ah je vois, un imprévu. »

La mère d'Alice n'avait jamais prévu de vivre un jour un imprévu. D'une rigidité excessive, elle planifiait chaque instant de sa vie, et peut-être même connaissait-elle le jour exact de sa mort. Elle semblait fascinée par ce qu'elle venait d'entendre, et répétait le mot « imprévu » comme une sorte de barbarisme exotique.

« Bon ça va, coupa Gérard. Ça arrive à tout le

monde de manquer une correspondance. Tu ne te souviens pas ? Nous aussi, l'été 77, à deux minutes près on avait loupé le train, et on avait dormi chez tes cousins issus de germains.

— Ah oui, je me souviens », avoua Éléonore avec frayeur.

Je pensais au film *La vie est un long fleuve tranquille*, je pensais aux guerres civiles et aux guerres froides, aux rencontres du troisième type, et à celles de la quatrième dimension aussi, je pensais aux débats entre les grandes idées, les façons de voir la vie, le capitalisme et le communisme, le sel et le poivre, je pensais à tout et au contraire de tout, ma panique était réelle, et ma peur fondée sur une raison principale que j'avoue maintenant dans un élan de nudité : je voulais plaire à ma belle-famille. Je voulais être accepté quelque part, avoir des habitudes, vivre des dimanches insupportables peut-être mais des dimanches précis. J'avais peur que mes origines n'anéantissent subitement l'idée de mon futur. Nos vies sont des cercles. Des cercles avec des évolutions illusoires, des tentatives de nous faire croire que le but n'est pas le point de départ. Alors qu'il est évident que nous nous dirigeons vers l'origine, la poussière. L'intrusion imminente de mes parents en était la preuve.

Ils arrivèrent en sueur. Et en parlant. J'eus à peine le temps d'annoncer qu'ils s'appelaient François et Françoise (ils ne permirent même pas que cette originalité puisse servir d'entrée en matière distrayante). Ils saluèrent d'une manière un peu rapide, ne s'excusèrent pas vraiment de nous interrompre pendant le dîner. Ma mère en profita pour critiquer le repas à base de produits non bio, mais on ne pouvait pas leur en vouloir, ils mettaient de la vie dans cet instant, ils arrivaient et l'on aurait pu croire qu'ils étaient là depuis toujours. C'est exactement ce que j'avais ressenti pendant mon enfance : ils me laissaient souvent chez mes grands-parents, mais ils prenaient tellement d'espace quand ils étaient là que je n'avais pas l'impression, au bout du compte, d'un trop long manque. Ils se disaient épuisés par le voyage, mais cela ne se voyait pas du tout. Alors que nous étions en plein dîner, mon père, incroyablement nature, jugea bon de nous confier :

« On ne pouvait pas se laver là-bas. Il fallait tout rationner. Alors, vous imaginez, je n'ai pas pris de douche depuis dix jours.

— Moi je me lavais tout de même au gant de toilette », précisa ma mère.

Pour éviter que mon père ne se gratte devant nous pendant toute la soirée, je le conduisis dans la salle de bains. Comme Éléonore semblait étouffer, j'ouvris la fenêtre. En bas de chez moi, il y avait un petit café où jouait un groupe de reggae.

Finalement, il valait mieux refermer la fenêtre, pour éviter l'infiltration de notes inspirées par une consommation excessive de ganja. Il en était ainsi de beaucoup de mes gestes, je faisais quelque chose, et immédiatement le contraire s'imposait, dans une belle gesticulation de malaise.

Ma mère se mit à table avec nous et raconta rapidement le voyage. Ils revenaient d'une région reculée de la Colombie.

« Mais ce n'est pas dangereux ? s'inquiéta Éléonore, dont l'idée d'une expédition consistait à passer de la maison familiale de Bretagne à celle des Cévennes.

— Dangereux ? Vous savez, ce n'est pas plus dangereux que de descendre dans la rue ici, au risque de se faire écraser. C'est ce que je dis toujours à mon fils. Hein, Fritz, hein que je te dis toujours que tu vis plus dangereusement que nous ?

— Oui, maman, c'est vrai. Tu le dis souvent », avouai-je, tête baissée.

Ma mère et celle d'Alice continuèrent d'échanger quelques banalités sur la relativité des dangers, et l'on aurait pu croire à un dialogue surréel entre un Serbo-Croate muet et un Texan sourd. C'est peut-être pour cette raison qu'elles se faisaient autant de sourires. Il y avait comme une envie de découvrir un nouveau monde. Pendant cette conversation, Gérard dévisageait ma mère. Étrangement, il me parut conquis par l'idée de cette vie sans pantoufles. Au bout d'un moment, il les interrompit :

« Mais comment faites-vous pour trouver *Le Figaro* là-bas ? »

Ma mère eut alors un fou rire, et le père d'Alice fut content que quelqu'un comprenne enfin son humour. Mon père, revenu de la salle de bains, s'installa à table, et la conversation reprit son cours. Gérard évoqua ses affaires, et mes parents ne le jugèrent pas. On arriva au dessert, et ils décidèrent de prendre le café sur notre beau canapé. Alice et moi n'existions plus. Nous étions des enfants.

Autant dire tout de suite ce qui se produisit : nos parents s'entendirent parfaitement. Nous qui avions craint le choc des civilisations étions abasourdis par leur concordance. Mes parents et ceux d'Alice passaient leur temps avec des gens qui leur ressemblaient. Pour la première fois depuis longtemps, ils voyageaient hors de leurs préjugés. C'était comme une bouffée d'air. Alice et moi étions effarés. Et voilà qu'ils donnaient dans le tutoiement, maintenant, et l'on n'était pas loin de la petite tape dans le dos. Nous étions épuisés, mais rien à faire : nos bâillements n'entravaient en rien la belle mécanique de cette révélation amicale.

Au bout d'un moment, nos géniteurs se rappelèrent que nous étions là (merci). Et petit détail au passage : qu'ils étaient chez nous. Alice, épuisée, posa sa tête sur mon épaule. Et c'est cette posture qui déclencha la tempête suivante. Je m'explique. En voyant ma fiancée, ma mère fut réellement attendrie, et souffla :

« Oh qu'elle est mignonne…

— Eh oui, c'est ma fille, dit Éléonore.

— Remarque, mon fils n'est pas mal non plus, dit ma mère.

— C'est un beau couple », dit la mère d'Alice, ou bien était-ce la mienne qui avait dit ça (les voix des mères se ressemblent toutes) ?

Je me souviens surtout qu'ils se sont mis à nous regarder, avec une émotion réelle dans les yeux, se rendant compte subitement que la vie avait passé, et qu'ils étaient invités à dîner chez leurs enfants. Gênés par ces regards appuyés, nous nous sommes mis à sourire comme des adolescents que nous n'étions plus. Et c'est au cœur de ce festival de tendresse familiale que mon père demanda subitement :

« Mais au fait, comment vous vous êtes rencontrés tous les deux ? »

Ni Alice ni moi n'avons été capables de répondre immédiatement, notre cerveau étant parasité par le souvenir de la précédente fois. Nous nous sommes contentés de sourire idiotement. De ce fait, nous avons laissé une place de choix à Gérard. Voulant démontrer que le passé était le passé, et que tout était pardonné, il se permit un peu d'humour :

« Ils se sont rencontrés dans une boîte échangiste ! »

En prononçant cette phrase, il avait juste oublié que mes parents ne savaient absolument pas à quoi il faisait référence. Ils le regardèrent un peu surpris. Et cela aurait été le moment idéal de tout expliquer, mais je ne sais pas pourquoi, nous sommes restés ainsi dans une sorte de silence gêné. En matière de gêne, nous allions connaître bien pire. Car mon père annonça en me regardant :

« Ah ça ne m'étonne pas de toi, Fritz ! Tu es bien notre fils. »

Éléonore faillit s'évanouir, et repensa toute la soirée par le prisme de cette déclaration. Elle trouvait subitement mes parents bien proches d'elle et de son mari sur le canapé. Elle se leva subitement, et annonça :

« Bon. Il vaut mieux qu'on y aille.

— Oui, sûrement », confirma Gérard.

La gêne n'était pas dissipée. Les parents d'Alice mirent leur manteau. Cela se terminait sur un fiasco, et pire encore : un fiasco malsain. Que se passait-il entre Alice et moi pour que nous ayons une telle capacité à produire du désastre ? Il ne fallait pas sombrer, je devais tenter de sauver les meubles Ikea. J'avouai :

« Mais non ! Alice et moi, on n'aimait pas le saumon ! C'est pour ça ! »

Je crus entendre Éléonore dire : « Dans quelle maison de fous sommes-nous », et je vis son grand corps maigre et blanc disparaître dans la pénombre du palier. Elle fut happée par le noir car la minuterie ne fonctionnait pas.

XI

Alice donnait de nombreux cours d'allemand à domicile. Le reste du temps, elle enseignait dans un collège en zone dite sensible (ce qui effrayait terriblement sa mère). Je venais d'avoir une promotion chez Larousse (ce qui effrayait terriblement ma mère). Nous vivions sous le même toit. Et puis, il y avait l'idée de plus en plus plausible qu'un jour, pour ne pas gêner ce beau mouvement de la vie normale, nous pourrions avoir envie de nous marier, et de faire un garçon qui jouerait au football ou une fille qui jouerait du piano. Un matin, en pensant à tout ça, je me suis dit : « Tiens, tu es un adulte, Fritz. » Et, en pensant à Céline, j'émis ce pléonasme : « Tiens, tu es un adulte avec des emmerdes. »

Je connaissais par cœur le corps de Céline. Ce qui nous était apparu au départ comme une échappée sensuelle devenait irrémédiablement une routine. Ce sentiment me procurait parfois l'étrange sensation que ma véritable maîtresse était Alice. Il était plus que temps d'arrêter cette histoire. Mais rien à faire, Céline parvenait toujours à me faire plier, à m'interdire de rompre. Je comprenais maintenant qu'il y avait quelque chose de bien plus important qu'un simple mélange des corps, et qu'elle ne supporterait pas l'idée que je puisse la rejeter. C'était au-dessus de ses forces. Si elle disait aimer son mari, si elle disait s'amuser avec moi, je venais de comprendre qu'il ne fallait jamais croire à la légèreté d'une femme qui offre ainsi son corps. Alors je cédais, par lâcheté, par habitude, par masculinité.

On tentait parfois d'égayer nos jeux érotiques, et je ne pouvais m'empêcher de trouver quelque peu pathétique la façon dont Céline tentait de réveiller un désir agonisant. Nous étions comme ces bougies qui n'en finissent pas de se consumer, ces bougies qui donnent l'impression qu'elles ne pourront jamais mourir tant qu'une infime flamme survit dans la cire. Je ne sais plus qui a écrit cette phrase : « seules les bougies connaissent le secret des agonies », mais Céline et moi, c'était exactement ça, nous étions en train de percer le secret le plus intime de l'agonie.

Elle ne me posait aucune question sur ma vie, et je lui interdisais de m'envoyer le moindre message le soir ou le week-end. Pourtant, je n'étais jamais vraiment à l'aise. Je sentais sa présence planer au-dessus de ma vie de manière insistante. Elle qui avait été une si grande source de légèreté s'était transformée en lourdeur. C'est vrai qu'on dit toujours que les choses sont légères au début : c'est au poids qu'on devrait mesurer le bonheur ; on devrait peser nos histoires pour en connaître le degré de dégradation. Ainsi, Céline était devenue une ombre sur ma vie, car je peux l'avouer maintenant : elle m'avait menacé. Pas d'une manière grossière, mais cela avait été insidieux, par des allusions, par des regards. Si je refusais de continuer à la voir, elle irait tout raconter à Alice. Ce n'était ni plus ni moins que du chantage, et j'avais l'impression de payer pour quelque chose que je n'avais pas fait. Que l'attitude d'Harold, cet homme que je ne connaissais pas, pesait sur ma vie comme si nous étions tous des dominos côte à côte. Et j'avais peur d'être subitement le dernier domino de la série, celui sur lequel s'abat toute une chaîne de frustrations.

Ce contexte influait sur mes rapports avec Alice. Si nous nous disputions beaucoup moins, il demeurait encore de nombreuses tensions. Facilement irritable, j'en étais le principal responsable. Alice me demandait souvent ce que j'avais, et je mourais d'envie de lui avouer ma relation avec Céline, je rêvais de me décharger de tout ce qui encombrait notre futur. Mais je savais parfaitement que cette révélation la ferait tant souffrir qu'elle aboutirait à notre séparation. C'était inenvisageable. Je devais vivre mon bonheur avec un compte à rebours du malheur dans le cœur.

Je suis rentré à la maison, épuisé. C'était le genre de soir où rien ne peut vous émouvoir. Le genre de soir où, regardant les catastrophes du monde à la télévision, on est capable simplement de critiquer la coupe de cheveux du présentateur. Une froideur occidentale, une insensibilité mesquine, le genre de soir où le cynisme coule dans nos veines étroites. Alice donnait encore un cours. C'était Benoît, un élève de terminale, qui voulait améliorer son niveau d'allemand pour intégrer une classe préparatoire bilingue. C'est étrange comme nous pouvons adorer des choses puis les détester. Rentrer chez moi, et entendre de l'allemand, avait souvent été le paroxysme de l'extase conjugale ; exactement comme d'autres hommes s'émeuvent d'une odeur de blanquette de veau. Que j'aimais écouter ces mots dans mon salon, me bercer dans le romantisme absolu. Mais ce soir-là, je ne voulais rien entendre. La journée m'avait effrité, et j'aurais voulu qu'Alice enseigne le silence.

Mes gestes étaient lourds, je faisais du bruit, comme une manifestation inconsciente contre ce moment. Alice s'est subitement énervée. Il n'y avait jamais de transition entre nous. J'aurais voulu qu'elle me demande ce qui se passait, mais elle s'est levée et avec un regard noir m'a crié :

« Tu ne peux pas faire moins de bruit, Fritz ! Tu ne vois pas que je suis en train de donner un cours !

— Oh ça va ! Je suis chez moi, quand même ! Je peux vivre !

— Mais qu'est-ce qui t'arrive ? Tu as bu ou quoi ? Tu sens la vodka polonaise !

— Ah non, ce n'est pas le moment d'inclure la Pologne !

— Oui, je sais, ils ont déjà assez souffert !

— Tu peux me dire pourquoi on se dispute ?

— Parce que tu fais du bruit, que tu ne respectes pas mon cours. Et le pauvre Benoît, il a bientôt son concours.

— Je m'en fous de Benoît, je m'en fous de son concours ! De toute façon, il a une tête de chômeur ! »

Benoît a profité de cette réplique pour apparaître. Je me suis aussitôt excusé. Au passage, j'ai vérifié : il avait plutôt une tête d'inspecteur en agronomie végétale ou, plus probablement, de formateur de diplomate. J'avais besoin de libérer toutes les tensions accumulées pendant la journée. Oui, c'est vrai, j'avais bu quelques petites vodkas pour me détendre. Et comme toujours, cela avait eu l'effet inverse. Je ne comprendrais décidément jamais cette expression : boire pour oublier. Quand je buvais, j'avais au contraire l'impression que la lucidité coulait en moi. Boire pour se souvenir. En revanche, je ne me souvenais pas précisément combien de vodkas j'avais bues.

Benoît a proposé finalement : « Je veux bien que vous vous disputiez pendant mon cours, mais le mieux serait peut-être de le faire en allemand. » Nous sommes restés stupéfaits. Rien ne se perdait, tout se transformait. J'étais encore jeune, mais je me sentais si vieux face à ces monstres modernes de rentabilité. Alice a hésité un instant (son visage était vraiment comme celui de quelqu'un qui attend sur un quai), puis elle s'est mise à m'insulter en allemand. Ce n'était pas très Goethe tout ça. À d'autres moments, j'aurais sûrement apprécié cette excitation germanique, mais là, je me sentais dépassé. Je me suis assis sur le canapé, et j'ai écouté cette femme m'injurier dans une langue que je ne comprenais pas. À côté d'elle, un jeune homme prenait des notes.

C'était sûrement l'une des visions les plus surréelles de ma vie.

Pour réagir, j'ai réfléchi à la langue dans laquelle je pouvais rétorquer. J'avais de nombreuses notions d'idiomes étrangers, mais seulement des notions. J'ai pensé contre-attaquer par un mélange de danois et de croate, mais j'ai finalement opté pour un peu de polonais. Néanmoins, la seule phrase qui me revenait était : « Savez-vous où se trouve l'hôtel ? »

Je doutais que cette saillie polonaise puisse équilibrer nos forces. J'étais envahi, et je n'avais d'autre choix que de capituler. C'était toujours la même histoire. Cette scène avait au moins eu le mérite de nous détendre. On devrait peut-être toujours se disputer dans une langue étrangère. Benoît nous regardait avec attention ; nous lui donnions sûrement une image bien pathétique du couple.

Le cours s'est achevé. Il a rangé ses affaires, et s'est dirigé vers la porte. Juste avant de sortir, il s'est retourné vers nous, dans un rythme lent, comme au ralenti, et il était évident qu'il allait dire quelque chose d'important : « Vous devriez vous marier. Vous êtes exactement comme mes parents. »

XII

Je suis là, allongé sur la moquette de notre belle société. Des employés passent me voir et s'inquiètent de mon état. Certains pouffent, se retiennent de rire, et je peux conclure que je ne suis pas très loin du ridicule. Ma tête tourne, et tout salarié décent penserait déjà à son arrêt maladie. Mais je ne veux pas m'arrêter, je veux montrer à tous que je suis solide, que ce n'est pas un sac postal me tombant sur la tête qui peut m'arrêter. Heureusement que je vais m'en sortir, je n'aurais jamais supporté l'idée de mourir assommé par une avalanche de cartes postales.

*

Fritz, 1979-2006 : Après une enfance chaotique et des études diverses mais brillantes, il parvint miraculeusement à se stabiliser. Selon des sources concordantes, il aurait un temps envisagé d'écrire une biographie de Schopenhauer en trois volumes, mais est mort finalement sur son lieu de travail, écrasé par un sac postal.

*

Rien ne se serait produit si une idée n'avait pas germé dans le cerveau d'un membre du service marketing. En général, chez Larousse, les idées marketing consistent à organiser des jeux-concours. Nous sommes très jeux-concours, très Paris Cedex. Un concours auquel il faut répondre par écrit (nous n'avons jamais entendu parler d'Internet), et par carte postale (les enveloppes n'existent pas). Maintenant, je suis la preuve vivante que de nombreuses personnes n'ont rien à faire de leur journée, qu'elles ont le temps de chercher des réponses dans un dictionnaire, de les recopier, et d'envoyer une carte postale. Tout ça pour gagner un week-end thalasso, ou une place près de Bernard Pivot le jour des *Dicos d'or*. Il n'est pas exclu qu'un jour on puisse gagner un week-end thalasso avec Bernard Pivot (extase suprême de notre lectorat).

Je tente d'affronter ma journée avec ce courage que je me découvre subitement, cette brillante capacité à surmonter une vision flottante. J'ai du travail, on attend beaucoup de moi dans cette maison d'édition, je suis jeune et dynamique, je n'utilise pas tous mes tickets-restaurant, et je ne suis pas le dernier à partir quand on organise des petites fêtes ou des pots de départ. Il n'est pas rare non plus que je ne pose pas toutes mes RTT, je suis capable de sacrifier mon temps de repos en fonction des impératifs de fabrication. Étranges pensées que les miennes à cet instant : je songe à la nécessité de dresser le bilan de mes compétences, comme si cette chute avait été un choc me renvoyant à l'origine de ce que je suis. Il y a près de moi une jeune stagiaire au physique incertain, je veux dire qu'il faut encore attendre quelques années pour savoir si elle penchera du côté de la beauté froide et neurasthénique ou de l'ingratitude revêche mais joviale, elle est encore entre ces deux eaux, et à un autre temps de ma vie, j'aurais pu me noyer tout près d'elle. C'est une jeune fille qui me dit merci monsieur. Y compris dans ces instants où je ne peux que lui donner des photocopies à faire. Mais aujourd'hui, c'est différent. À cause du sac postal, et de mon envie de me prouver quelque chose, je décide de faire les photocopies moi-même.

« Vous êtes sûr, monsieur ? Vous ne voulez pas que j'y aille, moi ?

— Non merci, Ursula, c'est gentil. Mais j'ai envie de les faire. »

Sur le chemin de la photocopieuse, je me suis demandé : est-ce vraiment son prénom, Ursula ? Ne s'appelle-t-elle pas plutôt Joséphine ?

En entrant dans la salle des photocopieuses, j'ai repensé à ce temps d'avant, de la même manière qu'une odeur peut vous replonger dans le passé. Je sentais ici le parfum de mon stage, l'arôme de mon innocence, si proche et déjà si lointaine. Seul dans la pièce, j'ai commencé à faire quelques copies. Et c'est à ce moment précis que Céline Delamare est entrée.

« Ah tu es là… je t'ai cherché partout. On m'a appris pour la chute… du sac postal…, dit-elle en ne pouvant réfréner un pouffement.

— Oui, enfin, ce n'est pas drôle.

— Mais si, c'est drôle. Si tu n'as rien, c'est drôle.

— Je ne sais pas pourquoi, mais je me sens si étrange.

— Effet secondaire sûrement… attends… attends…

— Quoi ?

— Tu… tu… ne…

— Mais qu'est-ce qu'il y a ? »

J'avais complètement oublié son pouvoir. À vrai dire, je n'avais jamais vraiment su si cela était vrai ou non, mais plusieurs fois, j'avais été surpris de la lucidité de ses remarques sur les uns ou les autres. Elle se décomposait devant moi, laissait la blancheur envahir son visage. J'étais stupéfait, et nous sommes restés suspendus ainsi, comme trois petits points. Enfin, elle a parlé :

« Fritz, je sais tout… tout ce que tu ne veux pas me dire… je l'ai vu à la façon dont tu as fait cette copie… tu veux définitivement me quitter… car… tu vas te marier… »

Céline continuait à balbutier, à tenter de finir une phrase. Comment pouvait-elle être au courant ? Cela ne faisait même pas quelques heures que nous avions décidé, Alice et moi, de franchir le pas de la normalité. Personne ne le savait encore, et toute la journée, j'avais flotté dans cet étrange état où se mêlent angoisse et bonheur. Cet état qui avait sûrement été propice à mon inattention lors de la chute des cartes postales. Et voilà que la première photocopie venue, j'étais démasqué.

*

Je pense subitement à une chose : le concours portait sur la notion de liberté. Il fallait trouver plusieurs définitions comportant ce mot. Que devais-je conclure de cette concordance ? Quelques heures après avoir décidé de me marier, j'étais assommé par la liberté.

*

Face à Céline, je devais pour la première fois confirmer mes intentions. Ce que je fis. Oui, j'allais me marier. Non, je ne voulais plus avoir de relation avec elle. Subitement, elle a fermé avec ses clés la porte de la salle. C'était une femme qui avait les clés. Il ne faut jamais sortir avec une femme qui a les clés. Entrer, oui, mais sortir, non. Ce n'était plus Céline Delamare qui était là, mais une autre femme, transfigurée. Une sorte de Magali Delamare, ou de Judith Delamare. Une femme qui me faisait peur, vraiment peur, et je ne bougeais plus. J'ai vraiment cru qu'elle pourrait me tuer ; peut-être était-ce mon jour, j'avais miraculeusement échappé au sac postal, mais je ne pourrais survivre à la haine subite d'une femme. Elle me haïssait, car elle savait parfaitement que les choses seraient différentes. Elle savait que j'avais toujours été tiraillé par une sorte de lâche moralité, et que je ne pourrais continuer de la voir ainsi une fois marié. Elle s'est mise à me frapper, à hurler que ce n'était pas possible, que je n'avais pas le droit de l'abandonner. À genoux devant moi, sans la moindre dignité, misérable et humiliée, Céline ne cherchait plus à paraître. Je me suis souvenu de

mon premier rendez-vous avec elle, de ma première impression d'une femme forte et rouge dans
son bureau, et voilà maintenant qu'elle était une
ombre pleurant mon ombre.

Je l'ai relevée. Elle continuait à pleurer. C'était
la première fois que je me trouvais face à une telle
douleur. Cet instant marquerait, pour toute ma vie,
mon rapport aux femmes, mais je ne le savais pas
encore. Je ne ferais plus jamais rien sans penser à
la possibilité de la douleur. Et les bonheurs que je
vivrais seraient entachés de cette fragilité potentielle. Pendant que je tentais de la raisonner en
chuchotant des banalités sur la vie qui est ainsi, on
frappait à la porte. Notre drame passionnel entravait le ballet des stagiaires à la photocopieuse,
empêchait le monde du carbone de tourner en
rond. Céline s'est relevée, et m'a fixé avec beaucoup de violence, une violence froide. Elle est
sortie, me laissant indemne. J'avais eu chaud.
Dans les toilettes, alors que je me passais un peu
d'eau sur le front, une larme a coulé sur mon
visage. J'avais cru dans un premier temps à de
l'eau, mais non c'était bien une larme, je pleurais
cette fin brutale, avec Céline Delamare, cette fin
inévitable. Et je devais m'y tenir, me disait cette
larme, car j'entendais le son de la larme à l'œil,
elle me chuchotait tous les mots que ma conscience
connaissait.

Les jours suivants, j'ai appris qu'elle s'était mise en arrêt maladie. J'ai préféré ne pas lui téléphoner, couper vraiment les ponts, même si je savais que nous serions amenés à nous revoir au bureau. Je pensais avec angoisse à cette évidence quand Ursula, ou était-ce Joséphine, m'a apporté la nouvelle édition du *Larousse*. Je me suis alors laissé croire que tout ceci était le signe d'une nouvelle vie.

XIII

J'ai été de très mauvaise foi quand j'ai raconté la rencontre entre nos parents. C'est étonnant pour quelqu'un de positif comme moi de m'être arrêté sur ce versant sombre. Il est temps de rétablir la vérité de cette soirée, et d'évoquer surtout son final. Bien sûr que non, mes parents n'étaient pas adeptes de pratiques échangistes. Au contraire, je les sentais parfois dans la bonne humeur illuminée de ceux qui accomplissent un exploit : la fidélité. Au moment où Éléonore est sortie sur le palier, mon père l'a rattrapée pour la rassurer. Et ils se sont mis à rire de ce quiproquo. Pour tout dire, ils furent encore plus unis après cet épisode, et ne cessaient d'en rire.

« Ah j'ai vraiment cru que vous étiez… et que vous nous proposiez… enfin… devant nos enfants… !

— Mais ça ne va pas ! »

Ha ha, hi hi, ha ha ! Et Oh oh oh ! aussi. Que de rires encore au-dessus de nos têtes.

Une des conséquences majeures de cette belle rencontre : ma mère avait maintenant un téléphone portable. Elle m'envoyait des messages, et j'avais l'impression de manger des sushis avec un artiste new-yorkais dépressif (ma définition du surréalisme, aujourd'hui). Les parents d'Alice lui avaient offert cet appareil, et subitement elle avait admis que la modernité pouvait avoir son charme. C'était très difficile de voir mes parents évoluer ainsi, après m'avoir bourré le crâne toute ma jeunesse. Qu'allais-je devenir s'ils se décidaient à voter à droite ? Et dans cette esthétique de l'inversion, les parents d'Alice avaient passé récemment quelques jours dans le Larzac. Si l'on regarde certaines émissions de télévision actuelles, on peut constater qu'ils étaient en parfaite adéquation avec cette grande tendance qui consiste à vouloir vivre la vie des autres. On échange à tout-va, maintenant, comme si l'existence était un troc. Je me suis demandé quelle vie j'aurais voulu connaître si j'avais eu la possibilité d'échanger. J'ai pensé à celle de vendeur de chemises. Ou de cravates. Oh oui, des cravates : me focaliser toute la journée sur le cou des autres. Parvenir à connaître un homme par son cou. Ça doit être bien de vendre des cravates, et ce n'est pas trop compliqué. Pas comme un pantalon. On voit tout de suite si ça va ou si ça ne va pas. On ne passe pas trois heures à tout ranger et à tout plier. Oui, c'est exactement ça, j'aimerais vendre des cravates.

L'étrange entente entre nos deux familles avait sûrement accéléré l'idée du mariage. Nous avions l'impression que notre union serait l'officialisation de leur amitié. Notre amour frôlait l'alibi. Mais cela ne me gênait en rien. Je confirme que j'avais du plaisir à ces dimanches où nous étions tous réunis. Pour la première fois, ma vie prenait cette tournure normale dont j'avais rêvé. Notre salon était le théâtre de cette normalité. Alice et moi étions de simples spectateurs, le décor de l'excitation des autres.

Lise aussi était souvent là, pleine de son énergie coutumière. Personne ne lui posait jamais de questions sur sa vie sentimentale. Belle, intelligente, elle ne rencontrait personne. Tout du moins, c'est ce qu'elle racontait. Il me semble surtout qu'elle était éprise de sa liberté, que pour elle la vie était un privilège qu'on ne pouvait brader. Elle avait pleuré quand nous lui avions annoncé notre mariage, et s'était jetée dans les bras de sa sœur, puis dans les miens. Nous avions formé une partition à six bras. Toutes ces scènes peuvent sembler bien réjouissantes, comme si la vie était couleur pastel, celle des bonbons de l'enfance. Il y a toujours tellement de bonheur, avant qu'il ne dérape. Il eût fallu avoir peur de ce bonheur, peur de tout le malheur qu'il pouvait annoncer.

XIV

La veille du mariage, Céline a insisté pour me voir. Je suis monté à son bureau d'une manière détendue, contente qu'elle m'appelle, pensant que nos relations étaient pacifiées. Depuis des mois, nous nous étions évités, et elle n'avait jamais cherché à me contacter. Il me semblait donc qu'elle avait respecté mon choix. Pour tout dire, j'étais persuadé qu'elle voulait me voir pour me souhaiter beaucoup de bonheur. J'ai ouvert la porte, et j'ai aussitôt compris qu'il n'en était rien. Que j'avais été très immature de croire ce que j'avais pu croire. Que mon immaturité avait gangrené tout mon corps pendant le temps où j'avais monté les marches vers elle. En découvrant son visage, j'ai compris que sa souffrance avait été réelle, que c'était une femme abîmée. Son regard ressemblait à celui de l'une de ces femmes peintes par Munch, et ses contours mêmes flottaient comme des vestiges de moments passés à se tordre dans la douleur. Loin de moi l'idée de penser que j'étais le responsable de ce gâchis ; certaines personnes portent en elles, d'une manière inexorable, le compte à rebours du saccage intime.

*

Martin Schmidt (1881-1947) : Pilote de l'armée allemande, connu pour avoir déserté lors de l'une des toutes premières batailles de la Première Guerre mondiale. Longtemps considéré dans son pays comme un modèle de lâcheté, il a été depuis peu réhabilité par des ligues pacifistes.

*

J'ai voulu partir. Mais je ne pouvais bouger, je ne pouvais détourner les yeux de cette femme que j'avais tant regardée. Asphyxiés par notre silence, mes membres oubliaient leur fonction. Combien de temps dura cet instant ?

« Je suis contente de te voir, a-t-elle dit enfin.

— Je suis content aussi, ai-je menti.

— Tu te demandes, je suis sûre, ce que je veux.

— Oui, enfin non… Enfin, oui.

— C'est tellement toi. Un vrai indécis.

— Je ne suis pas indécis. Je ne me demande rien, c'est tout. Tu voulais me voir, alors je suis venu. Peut-être que je n'aurais pas dû.

— Peut-être, oui. Qui sait ? »

Cette discussion prenait une étrange tournure. Nos phrases étaient courtes, presque solennelles. Comment avais-je pu penser une seconde qu'elle allait émettre des vœux pour mon mariage ? Comment avais-je pu être aussi stupide ? Elle continuait de me fixer. Je fuyais son visage, et mes yeux s'accrochaient à des détails absurdes de ce bureau sans vie. J'observais maintenant un petit meuble, et subitement, il me revint en mémoire que nous avions fait l'amour sur ce meuble. Céline n'avait apparemment pas que le don de la photocopieuse, car elle entrait toujours aussi facilement dans mon esprit :

« Tu te souviens de ce que nous avons fait sur ce meuble ?

— Oui, je me souviens.

— Eh bien, c'est pour ça que je voulais te voir.

— Pour me parler du meuble ?

— Très drôle.

— Alors pourquoi ?

— Pour te parler de l'amour. Pour te parler de l'amour physique. Tu sais que j'ai respecté ton choix, que depuis des mois je te laisse vivre ta vie.

— C'est vrai.

— Je sais que tu te maries demain. Je sais que demain tu seras un homme comme tu as toujours rêvé de l'être. Un jeune homme rangé. Et qu'il en sera définitivement fini de nous.

— Mais c'est déjà fini…

— Laisse-moi terminer. Tu ne me laisses jamais terminer. Et c'est justement ça que je te demande. J'aimerais terminer. J'en ai besoin Fritz. J'en ai physiquement besoin, et tu ne peux pas me le refuser.

— Refuser quoi ?

— Ne fais pas semblant de ne pas comprendre. Je veux une dernière nuit avec toi. Je veux que tu passes ta dernière nuit d'homme célibataire avec moi. Après, je n'existerai plus. Je te le promets. C'est facile pour toi. Tu inventes n'importe quoi, tu te débrouilles.

— Je n'ai rien à inventer. Alice passe la nuit chez sa sœur, ce soir.

— Ça veut dire que tu es d'accord ?

— Est-ce que j'ai vraiment le choix ?

— Non, tu n'as pas le choix. »

Je me suis souvent posé la question de ce choix. Je me suis souvent persuadé que Céline ne me laissait pas d'autre possibilité, qu'elle me menaçait, qu'elle m'imposait sa volonté. Mais est-ce vraiment la vérité ? N'avais-je pas moi aussi envie de vivre une dernière nuit avec elle, de vivre l'enterrement de mon passé dans les bras du passé ?

Rentré chez moi, le soir, j'ai regardé mon costume, et j'ai regretté de l'avoir choisi un peu trop noir. J'ai regardé ma peau, et j'ai été content de n'y déceler aucun bouton. Je voulais avoir une peau lisse et nette, entrer dans l'âge adulte sans le moindre vestige de l'adolescence. J'ai téléphoné à Alice, j'entendais glousser Lise derrière, elles étaient en plein essayage de cette robe que je ne devais absolument pas voir. Rituel qui permet à l'homme de découvrir sa femme le jour du mariage, avec la surprise de la blancheur. Alice s'est inquiétée de savoir ce que j'allais faire le soir, et j'ai menti avec une surprenante aisance. J'ai dit vouloir rester seul, me promener peut-être un peu, aller voir un film, et j'ai même fait de l'humour. J'aurais voulu être un peu dégoûté de moi-même, mais je n'ai pas réussi.

Nous nous sommes retrouvés à l'hôtel. Céline m'attendait, allongée sur le lit. Et ce n'était plus la même femme que celle de l'après-midi. En quelques heures, elle avait retrouvé l'éclat que j'avais aimé. Au moment de m'approcher d'elle, j'ai pensé : la dernière fois, c'est exactement comme la première fois.

XV

Tout le monde est là. Ma vie (officielle) est ici résumée. Il y a des collègues, et mon ami Paul venu avec sa fiancée ; je le vois moins depuis qu'ils sont ensemble. Mais j'aime bien cette fille, surtout sa bouche. Elle possède une étrange bouche, qui peut paraître presque difforme. Mais qui ne l'est pas du tout. C'est une bouche à consonnes, une bouche très R. Quand elle prononce des R, son visage prend toute sa splendeur. Ils ont l'air heureux, et j'ai l'impression que ce jour leur donne des idées. Paul est près de moi, il ne me lâche pas d'une semelle, c'est mon témoin : il ne doit pas perdre une miette de ce que je vis. Il me souffle alors une définition.

Bonheur n.m. (de *bon* et *heur*) : État de complète satisfaction.

C'était donc ça le bonheur, un état de complète satisfaction. Un état rond, sans la moindre faille. Avait-on le droit d'être heureux sans être dans la satisfaction complète ? Existait-il un seul moment où un homme pouvait se sentir dans un état *complètement* quelque chose ? Ce jour de mon mariage, j'ai admis les limites de la frénésie de tout rédacteur du *Larousse* : il existait tant de mots qu'il ne fallait pas définir [1]. Le bonheur ne s'enfermait pas quelque part, on le vivait dans un air infini. J'en étais là de mes pensées quand je vis arriver Alice, blanche et éternelle de ce moment ; j'ai ressenti que nous étions importants d'amour. J'étais un héros, c'était la mythologie qui avançait vers moi avec un grand sourire.

Nous avions un peu de temps avant la cérémonie. Je me laissais embrasser, je me laissais tripoter par de vieilles tantes, et je n'en revenais pas d'avoir une famille si nombreuse. Mes parents

---

1. Plus tard dans ma vie, je publierai d'ailleurs un dictionnaire des mots qu'il ne faut pas définir.

m'avaient caché des cousins et des aïeux. Les parents d'Alice les avaient convaincus d'inviter toute la famille pour faire un grand mariage. Ainsi tous seraient aux premières loges de notre déclaration : tant de monde pour deux oui.

*

Carlos Bolino (1916-1992) : Industriel péruvien, né à Lima de père et mère inconnus. Très vite livré à lui-même, il connut une réussite industrielle foudroyante en inventant le tapis autonettoyant. Devenu en quelques années la plus grosse fortune de son pays, il envisagea de se présenter aux élections présidentielles. Mais ses projets furent contrecarrés par sa passion maladive du jeu. On dit qu'il perdit tout sur un seul coup de roulette. Il avait misé toute sa fortune sur le noir, mais c'est finalement le rouge qui sortit. Selon plusieurs témoignages, il aurait fini ses jours clochard, ne se séparant jamais d'un tapis.

*

J'ai oublié de dire qu'il faisait beau, que nous étions sur une belle place, devant une mairie, et que le temps essayait de s'arrêter. Alors voilà, tout ça, je voudrais l'écrire, je voudrais faire comprendre ces dernières secondes de la beauté, ces dernières secondes d'un monde que je croyais éternel, et tout était là, parfaitement composé dans ma vie, et oui c'était le bonheur, oui c'était un état de satisfaction complète, mon cœur battait de battre chaque seconde… battre, et encore battre… dans ce bonheur, je ne sais plus quel jour nous étions, si nous étions un 12 juin ou un 12 octobre, il n'y avait plus rien de ce temps présent dans ce moment qui fuyait déjà l'ordinaire, et je pensais aussi que ma veste me tenait chaud, un peu trop chaud… car le soleil tapait sur nous, et cela gênait ma vision, je veux dire que j'avais l'impression que mes amis étaient déformés par la réverbération, que des gouttes de sueur commençaient à gêner mon élégance, que tout ce qui m'entourait prenait la forme distordue d'un rêve raté, avec des petits points multicolores… et pourtant la blancheur dominait… surtout celle d'Alice… sa blancheur que je voyais au loin… sa blancheur que je pouvais voir entre toutes ces silhouettes bienveillantes… la femme de ma vie était là, et comme une météorite du passé, j'ai repensé à notre rencontre, au cercle du sourire, au geste que j'avais tant aimé, et elle allait devenir ma femme, et c'était le plus beau mot de la langue française… les dictionnaires sont juste des prétextes à cacher le mot femme… elle allait être ma femme, Alice, dans sa blancheur… et je sais qu'on me parlait, je sais que je pouvais discerner des sons, mais plus rien n'arrivait vraiment jusqu'à moi, entre les souvenirs et les idées du futur… je ne pouvais voir que cette image amoureuse de la blancheur, c'était ma couleur, notre couleur, celle du oui… et lentement, je sais que lentement j'ai compris qu'il y avait l'intrusion d'une autre couleur… une couleur qui n'était pas une couleur de ce jour, à part peut-être pour les fleurs, mais ce n'était pas une fleur qui s'avançait, c'était le rouge qui s'avançait, le rouge qui allait percuter le blanc… et j'ai mis un moment à comprendre… un moment à réagir, pour être certain de bien voir ce que j'étais en train de voir, pour être certain que je voyais Céline Delamare en train de parler à Alice, Céline Delamare saccageant ma vie.

Je me suis précipité vers elles. Comme dans un cauchemar, mes pas étaient lents, je ne pouvais aller vite, je n'avais plus la moindre force. Céline est repartie aussi subitement qu'elle était apparue. J'ai vu Alice et sa blancheur, figées, mortes. Elle a tourné la tête vers moi, a vu mon regard de panique ; ce regard qui confirmait que tout était vrai, ce regard qui confirmait : oui, l'homme que tu vas épouser a bien passé la nuit avec une autre femme, il y a quelques heures seulement il jouissait en elle, et il disait « oh oui », comme un entraînement ignoble au « oui » qu'il allait te dire. J'ai senti la mort dans le regard d'Alice, et elle est partie en courant. La fuite de la blancheur. J'ai entendu tout le monde chuchoter, et puis, très vite, ce fut un lourd silence. Personne ne pouvait comprendre. La mariée qui partait en courant, et le marié qui tentait de la rattraper. À ce moment, je n'avais rien en tête. Je ne pensais pas à tout ce que serait ma vie à partir de maintenant, je tentais de rejoindre Alice, de m'expliquer, de faire marche arrière avec elle. Elle courait à toute allure. Les voitures pilaient sur son passage, et elle aurait très bien pu être écrasée : il n'y aurait rien eu de surprenant à ce que le désastre s'ajoute au désastre. J'étais persuadé que la mort ne devait pas être aussi terrible que le moment que nous vivions. Je continuais de courir, et je manquais de souffle. Je ressentais maintenant cette nuit sans sommeil. La chaleur m'étouffait, et je voyais au loin toujours la silhouette de celle qui ne serait pas ma femme, car je savais évidemment que tout était fini, que je courais après une ombre, une inconnue. Je courais encore et encore, Alice tournait, empruntait des ruelles, et se perdait dans d'autres, suivie du regard par tous les passants, cette femme courant avec une robe de mariée. Et moi, avec mon costume mouillé par la sueur et la honte, on me regardait comme le pauvre type que j'étais. Mon malheur ralentissait mes pas. Je la voyais, elle aussi, perdre le rythme, et je pouvais encore penser : nous allons nous retrouver. Nous serrer dans les bras l'un de l'autre. Elle me frapperait sûrement, mais elle me laisserait m'expliquer, me justifier, et je dirais que cette autre femme était folle. De toute façon, comment croire une femme capable de faire ça ? Comment est-ce possible ? Oui, je reprenais espoir, mais la blancheur fuyait toujours. Nous étions dans une petite rue, je me souviens de cette rue, et au bout de la rue, je ne savais plus si elle était partie à droite, ou si elle était partie à gauche. Je ne voyais que le soleil qui me regardait en face, comme un châtiment, comme le début d'une longue brûlure.

TROISIÈME PARTIE

I

Comment dire que le temps a passé, comment dire que la vie a marché sur moi pendant dix ans ? Je ne sais même pas ce qu'il faudrait dire, par où commencer. Moi qui ai tant résumé les autres, je suis dans l'incapacité physique de me ramasser. Une chose est certaine : j'ai beaucoup changé. On ne pourrait plus me reconnaître, et c'est peut-être ça que j'ai recherché pendant les longs mois de souffrance. J'ai tellement voulu qu'on ne puisse plus me regarder avec ce mélange de compassion et de dégoût. J'étais devenu un paria ; j'étais un homme mauvais, un homme méchant, je méritais de vivre au sous-sol du monde. J'avais aussi profondément souffert d'une injustice : le rapport entre la cause et la conséquence. Certains commettent des crimes contre l'humanité, et vivent tranquillement dans la pampa. Et moi qui avais mené une vie si rangée, moi qui me sentais encombré par la morale et la nécessité permanente de bien faire, j'avais subi ce qu'aucun homme ne voudrait subir. Surtout, j'avais fait souffrir la femme que j'aimais, souffrir si violemment, et à ma plaie s'était toujours associée la douleur de la sienne. Autant le dire tout de suite : en dix ans, jamais je n'ai eu de nouvelles d'Alice. Je n'ai jamais osé l'appeler, trop écrasé par la honte. Les années ont passé dans ce silence. Au tout début, j'ai hésité, même si je savais qu'il n'existait aucun mot qui rattraperait ce qui avait été vécu. Toutes les combinaisons de lettres possibles ne change-raient rien au saccage amoureux. C'était mon état d'esprit pendant ces premiers jours, et c'est peut-être par là que je devrais commencer le récit de ces dix années. Commencer par le début. Ces dix années qui m'ont mené à être assis là où je suis assis au moment où je tente de penser à ma vie, dans ce grand bureau. Juste devant moi, il y a un téléphone. Je ne sais pas encore que dans quelques secondes, il va sonner. Et je ne sais pas encore que ce sera la voix d'Alice. Dans dix secondes maintenant, elle ressurgira de dix ans de silence.

II

Sous le soleil, je suis retourné sur la place de la mairie. Je ne sais pas pourquoi j'ai fait ça. Comme si j'avais eu l'ambition d'ajouter de l'horreur à

128

l'horreur. Tout le monde m'a observé, mais personne n'a osé prononcer le moindre mot. Je n'ai jamais pu oublier les regards, la gêne immense de tous. Qui aurait pu trouver les gestes, les mots pour me rassurer ? Je ne sais pas combien de temps je suis resté, mais au bout d'un moment, j'ai déguerpi. Un taxi m'a mené à la gare la plus proche, où j'ai pris le premier train. En espérant qu'il me mène loin.

L'homme assis à côté de moi m'a demandé :
« Vous allez à un mariage ? »

Il avait une barbe de trois jours, mais peut-être que cela faisait sept jours qu'il la laissait pousser. Il portait de petites lunettes rondes. Je ne pouvais pas lui répondre.

« Non, je dis ça, parce que vous êtes habillé comme pour aller à un mariage… remarquez, je dis ça, mais moi, je suis habillé avec plein de couleurs, et en fait, je vais à un enterrement…

— …

— C'est mon père. Il est mort, il y a trois jours. Je ne sais pas grand-chose de lui, mais je suis certain qu'il ne voulait pas qu'on s'habille en noir. On ne s'est pas beaucoup vus ces derniers temps. En fait, je crois que l'on ne s'est jamais beaucoup vus, c'est tout. Il bougeait tout le temps. Quand j'ai appris sa mort, la première chose que je me suis dit, c'est "tiens, on va enfin pouvoir le localiser". On va l'enterrer à Crozon. C'est au bout du

Finistère. Près de la mer, c'est ce qu'il voulait… près de la mer. Mais je vous ennuie peut-être ?

— Non… c'est juste… que…

— Que vous n'avez pas envie de parler, je sais. La vie est mal faite, c'est toujours comme ça. Le seul jour où j'ai envie de parler, je tombe sur quelqu'un qui ne veut pas parler. Si ça se trouve, vous, c'est le contraire. Vous parlez souvent, mais aujourd'hui, vous n'avez pas envie de parler…

— C'est vrai… mais, je suis désolé pour votre père…

— C'est gentil. Mais vous savez, ce qui me désole surtout, c'est qu'il n'y aura personne à l'enterrement. J'étais sa seule famille, et je ne sais pas qui prévenir. C'est étrange, mais c'est surtout ça qui me rend triste, vraiment triste. Ce n'est pas vraiment sa mort, mais cette idée d'un enterrement sans personne. Vous imaginez ? C'est terrible, non ?

— Oui, sûrement. Je ne sais pas quoi vous dire.

— Je peux vous poser une question ?

— Oui.

— Vous allez où, vous ? Parce que peut-être… si vous n'êtes pas loin demain, vous pourriez peut-être… enfin c'est ridicule…

— Je veux bien venir », ai-je dit sans réfléchir, spontanément. Il y avait le visage de cet homme qui me touchait, et la perspective d'avoir quelque chose à faire. Quand on est dans le trou du monde, aller à un enterrement est comme une bouée de sauvetage. Il parut ravi, et même ému. Peut-être allions-nous devenir amis ? Il y a sur les rivages du malheur toutes les conditions pour faire des rencontres majeures.

« C'est vrai ? Je ne sais pas quoi vous dire ! Comme mon père va être content !

— … ?

— Enfin… ça lui aurait fait plaisir, c'est sûr. »

Cet homme continuait de me parler de son père. Par moments, j'arrivais à l'écouter réellement, je veux dire, j'arrivais à ne pas l'entendre comme un lointain écho, ne pas être uniquement écrasé par ce que je venais de vivre. Un instant, je suis resté en suspens, comme pour figer la situation. Je me faisais inviter à un enterrement le jour de mon mariage. Que devais-je penser de ce symbole ? N'était-ce pas moi que j'allais enterrer ? Je me sentais en pleine phase active de décomposition. J'avais l'impression que des morceaux entiers de ma chair étaient en caoutchouc, que même une brûlure ne pourrait pas faire réagir. Mon corps se crispait, secoué de violents spasmes. Mes oreilles se bouchaient subitement, et je voyais la bouche de cet homme continuer à me dérouler ce qu'il savait de la biographie de son père, sa bouche qui continuait encore et encore à rouler vers moi, et Alice, il n'y avait qu'Alice, même dans le visage de cet homme, je voyais Alice avec une barbe de trois jours, et je pensais qu'il y a trois jours nous étions si heureux, nous étions dans la marche du futur, et maintenant le futur était mort : nous nous sommes tués au présent. L'homme parlait, et des larmes coulaient sur mes joues.

« Oui, enfin, je crois qu'il n'a pas trop souffert quand même…

— … »

Quand j'ai compris qu'il avait cru que je pleurais à cause de son père, je me suis mis à rire. Le pauvre ne devait plus rien comprendre. Mais il n'y avait rien à comprendre, à part peut-être que la vie est une plaisanterie. Je suis revenu dans la discussion, et j'écoutais à nouveau mon voisin. Entre les mots, j'ai cru discerner le mot « cravate », et c'est un mot qui m'a aspiré.

« Vous avez dit cravate ?

— Oui, je parle des cravates. Mon père vendait des cravates.

— Il vendait des cravates ?

— Oui, il était VRP. Il allait de ville en ville avec ses valises de cravates.

— Il vendait vraiment des cravates ? »

Il m'a regardé fixement, doutant pour la première fois de ma capacité à être un interlocuteur acceptable. Mais comment pouvait-il savoir que c'était une profession particulière pour moi ? Qu'il m'était arrivé de fantasmer sur la vie de vendeur de cravates. Que j'avais pensé à ce métier comme à un antidote du *Larousse*. Alors j'écoutais des détails sur cet homme dont la vie avait été vouée à la vente de cravates.

« Au fait, je m'appelle Bernard, dit l'homme.

— Et moi, c'est Fritz. »

Il n'a fait aucun commentaire, ne m'a pas demandé si j'étais allemand. Même s'il parlait beaucoup, je me suis dit que les choses seraient simples avec lui. Et j'allais le suivre. C'est ainsi que je me suis retrouvé dans le Finistère. Le bout du monde ne pouvait être que ma destination.

III

Bernard est passé à la morgue. J'ai attendu en bas. Il est redescendu et son visage n'était plus le même. J'ai voulu dire quelque chose, mais je crois qu'il n'y avait rien à dire. Nous avons pris un taxi jusqu'à la maison de son père. Une petite maison qu'on aurait presque pu ne pas voir. Comme une maison timide. À l'intérieur, les volets ouverts ne changeaient pas grand-chose à la faible luminosité du lieu. Tout était parfaitement rangé. Comme si cet homme avait eu l'intuition de sa mort et qu'il avait pris toutes ses dispositions. La vaisselle était faite, par exemple ; on pouvait facilement imaginer qu'il avait lavé des assiettes en sachant que ce serait la dernière fois. Quelle idée, n'est-ce pas ? À quoi bon laver une assiette si c'est pour mourir après ? C'était peut-être cela le comble de la délicatesse : faire le ménage avant de mourir.

Nous nous sommes assis à la table, c'était une table avec une toile cirée, une vieille toile cirée, une toile où des générations entières de miettes de pain avaient dû passer dans un rythme régulier, et maintenant on y disposait deux verres qui ne cesseraient de faire des allers-retours entre le pays du rempli et le pays du vide (des verres nomades). La nuit allait tomber sur nous, et je buvais du vin rouge d'une qualité moyenne ce jour où j'aurais dû boire du champagne. Comme j'étais un homme responsable, je me suis levé au bout d'un moment pour prendre mon téléphone. J'avais de nombreux messages, et tout le monde se demandait où j'étais. Je ne savais pas vraiment où j'étais, mais cela n'avait aucune importance : tout le monde voulait savoir comment j'allais. Alors j'ai écrit quelques mots rassurants ; dans ces cas-là, rassurer c'est juste dire qu'on ne s'est pas tué. Ainsi, je n'étais pas mort, mais je me saoulais avec un nouvel ami dont le père était mort quelque part en Bretagne. Cela pouvait finalement ressembler à une idée de la mort. Et pourtant, ce que je ressentais était si étrange, et ce n'était pas forcément lié à l'alcool, à vrai dire, je crois que je n'étais pas si malheureux que ça. Subitement, il me semblait que le moment que je vivais, à l'abri de tous, était pour la première fois un moment de pur déracinement. Un moment accroché à aucun autre moment de ma vie, comme suspendu, et il y avait un vrai soulagement dans cette sensation. Alors j'ai envoyé des messages disant que j'allais bien, que j'étais parti, qu'il ne fallait pas chercher à me revoir pour le moment.

En voyant mon visage, Bernard m'a demandé :
« Tu dois partir, c'est ça ?
— Non, je dois rester », ai-je dit.
Cette réponse le fit rire. J'étais content de pouvoir le faire rire. Sans entrer dans les détails de ma vie, il a compris que j'avais vécu moi aussi quelque chose de douloureux. Ensemble, qui sait, nous allions trouver des brèches pour ouvrir le sourire, et l'oubli surtout.

J'ai aimé l'écouter ce soir-là. Il était vendeur de rasoirs. Je n'en revenais pas. Pour lui, la situation était parfaitement normale. Il n'avait jamais fait attention à la symbolique. Son père vendait des cravates, et lui il rasait les cous. Il vendait des lames sur le lieu corporel attitré de son père. J'ai pensé que s'il avait un fils, celui-ci vendrait des cordes. C'était une famille cou, et génération après génération, l'étau se resserrait. Le rapport au cou devenait de plus en plus dangereux et étroit. J'avais beaucoup bu déjà quand je lui parlai de cette théorie. J'ai eu l'impression qu'il ne l'avait pas très bien comprise. Lui, il avait une autre théorie :
« Pour mon père, la cravate est un antidote à la dérive. On s'attache le cou, de la même manière qu'on ancre un bateau. »

135

J'ai pensé à cette image. C'était peut-être ce qui m'avait attiré inconsciemment vers les cravates. Il y avait dans ce morceau de tissu toute la cicatrisation d'une enfance soumise à la dérive.

Ensuite, Bernard m'a montré la collection de cravates de son père. Il a ouvert les nombreuses valises, en soupirant : « C'est dommage, ça fait beaucoup d'invendus... » J'imaginais le pauvre homme en train d'agoniser en disant : « Mince, c'est con de mourir, avec tout ce stock à écouler. » On a regardé toutes ces cravates, en éprouvant une réelle tristesse. Toutes ces cravates orphelines. Bernard a évoqué l'amour de son père pour les cravates.

« Tu sais, ce n'était pas un métier comme un autre, pour lui. C'était une vraie obsession. Il pensait cravate, il vivait cravate, et je sens qu'il est mort cravate...

— Il n'avait pas tort... c'est tellement... attachant une cravate », ai-je dit.

Nous avons piqué un fou rire, et je crois avoir rarement autant bu que ce soir-là. Mon corps, encore anesthésié, était dans l'incapacité de produire une nausée, ou un mal de foie (le chagrin immunise).

Nous nous sommes réveillés assez tôt. L'enterrement était prévu en fin de matinée. Il faisait beau, c'était un soleil précis, sûr de lui, sûr de dominer les nuages toute la journée. Nous avons mis une bonne heure à choisir la cravate idéale. J'ai opté pour une toute jaune, allez savoir pourquoi. Et Bernard a fait de même. Nous avions l'air de deux étranges personnages, avec notre gueule de bois, et notre cravate jaune. J'ai cru entendre l'un des fossoyeurs dire : « Tiens, on dirait deux Polonais », mais je ne suis pas bien certain d'avoir entendu cette phrase. D'une manière générale, je ne suis pas certain d'avoir vécu ce moment. J'étais perdu dans une vapeur, et tous mes gestes me semblaient être des pas sur la Lune (enfin, ce que j'imaginais d'un mouvement sur la Lune). L'enterrement fut assez rapide. Bernard a prononcé quelques mots, parmi lesquels j'ai discerné plusieurs fois le mot cravate. Nous sommes restés un moment à nous recueillir sur la tombe de cet homme.

*

Roland Duthil (1942-2007) : Né au cœur de la Seconde Guerre mondiale, de père inconnu (probablement allemand), il fut très vite placé à l'orphelinat après la mort de sa mère. On sait très peu de chose sur lui, si ce n'est qu'il devint père assez jeune. Lorsque sa femme le quitta, il plaça son fils Bernard dans un foyer. Toute sa vie, il arpenta la France en vendant des cravates. C'est presque tout ce que l'on peut dire. Se sentant mal, il est rentré chez lui, à Crozon, pour mourir, non sans avoir fait la vaisselle au préalable. Son fils espère simplement que les anges aiment porter la cravate.

*

Depuis le train de la veille, je n'avais pas réfléchi à ce que j'allais faire. L'idée d'enterrer quelqu'un m'avait permis de tenir jusqu'à cet instant, mais je me retrouvais subitement devant le vide de mes heures. Il était hors de question de retourner à Paris, et encore moins aux éditions Larousse. Je ne voulais croiser aucun témoin de mon désastre. Ma vie m'est apparue comme la chose la plus incertaine qui soit, et mes pas ne savaient par où commencer leur marche. Au cimetière, partout autour de moi, il y avait des destins fixés dans l'éternité, des corps allongés et immobiles. Ce n'était peut-être pas le meilleur endroit pour trouver un sens à sa vie.

Bernard m'a serré dans ses bras. Je n'aimais pas trop ces moments de la vie virile, mais il y avait quelque chose de si émouvant dans ce geste, dans l'idée que nous nous étions trouvés là, tous les deux, dans la cadence de notre désespoir. Après la cérémonie, il m'a dit qu'il devait rentrer assez vite à Paris. Son employeur ne lui avait donné que deux jours de congé. Quarante-huit heures pour la mort d'un père, c'est peu. J'ai proposé :

« Tu ne veux pas que je reste ? Tu ne veux pas que je tente de vendre toutes les cravates qu'il n'a pas pu vendre ?

— Tu ferais ça ? Vraiment ?

— Oui. »

Bernard ne comprenait pas complètement ma proposition. Je crois qu'il était persuadé que je voulais lui rendre service. Il ne comprenait pas que vendre toutes ces cravates allait simplement me sauver la vie.

IV

Après une première nuit, j'ai décidé d'appeler mon patron pour régler ma situation. Il a tenté de ne pas paraître trop surpris, ce qui s'est révélé impossible :

« Vous voulez démissionner... et vendre... des cravates ?

— Oui, c'est ça. »

Après un temps, il a dit simplement :

« Écoutez, Fritz, je sais que vous traversez une crise personnelle grave. Sachez que nous vous soutenons. Je vous propose de vous mettre en disponibilité, mais nous préférerions que vous ne démissionniez pas. Nous vous laissons libre de revenir quand vous voulez.

— ...

— Vous entendez, Fritz ? Il y aura toujours une place ici pour vous. »

À part quelques larmes dans le train, je n'avais pas vraiment encore pleuré de ma situation. Mais après ce coup de fil, je me suis effondré. Deux jours de larmes ont jailli de mes yeux. J'avais pleuré à cause de la gentillesse dans la voix de mon patron. Et la façon de me dire « Fritz, il y aura toujours une place ici pour vous ». Comment dire ? J'ai admis que je n'avais pas tué, qu'on me pardonnerait, et qu'on souffrirait même avec moi. J'allais plus tard m'en apercevoir : on m'aimait encore.

J'allais apprendre aussi que le sort de Céline serait différent. C'était elle qui était considérée comme la véritable coupable de cette histoire, elle qui avait saccagé le bonheur d'un joli couple, elle qui avait sûrement éprouvé de la jouissance à faire le mal. Très vite, sa situation devint intenable. Personne ne la retint de démissionner, et elle y fut même poussée par quelques pressions, certains employés refusant désormais d'avoir affaire à elle. C'est ainsi qu'elle disparut. On n'entendit plus parler d'elle. Sauf moi, bien plus tard, et dans d'étranges circonstances.

J'ai bu un verre de liqueur de griotte, certes un peu trop matinal, mais il me fallait bien cela pour me remettre. Après avoir passé en revue toutes les cravates, je les ai disposées dans le coffre de la voiture de Roland. C'était une vieille voiture, en fin de vie, et j'avais l'impression qu'elle ne roulerait plus le jour où la dernière cravate serait vendue (une intuition qui se révélerait juste). Comme je ne pouvais pas y aller avec mon costume de mariage, j'ai enfilé des vêtements trouvés dans le placard. J'ai eu la surprise de m'apercevoir que Roland et moi avions exactement le même gabarit. Certes, nous avions quelques divergences concernant le style : je doutais qu'il ait acheté quoi que ce soit depuis trois décennies. J'ai essayé une veste marron en velours avec des ronds de cuir cousus pour protéger les coudes. C'était peut-être ça le secret de la longévité des vêtements : il fallait protéger les endroits à rotation. J'ai trouvé un pantalon qui n'était pas trop dépareillé. J'étais comme un nouveau Roland Duthil.

En roulant, je ne cessais de penser à lui, au bonheur qu'il éprouverait à l'idée de savoir que ses cravates ne seraient pas abandonnées. Je me suis retrouvé en quête de cous dans cette Bretagne que je ne connaissais pas. Surtout je ne connaissais pas le jargon, j'allais devoir improviser. Mais j'avais un atout majeur : je connaissais des mots compliqués. Et cela est souvent essentiel pour vendre quelque chose. Il ne faut pas hésiter à arroser le client potentiel d'un savoir qui le dépasse. Je travaillais mentalement des exercices de vente, ne sachant pas encore que tout cela n'aurait ici aucune valeur. Pour être un bon vendeur, il me faudrait seulement avoir un foie solide, et être capable de digérer avec le sourire toutes les petites prunes qu'on me proposerait.

Je me suis accroché à ces cravates d'une manière déraisonnable, je le sais, mais je n'avais aucune alternative. Tous les soirs, je les comptais, je les classais, je voyais leur nombre décliner. Il m'arrivait de leur parler, mais je sais que je n'étais pas fou. J'entendais parfois murmurer sur mon passage des souffles, et il y avait sûrement des rumeurs, mais il n'était pas rare qu'on me propose de prendre l'apéritif. Je devenais une partie du paysage, une étrange partie, mais, après tout, un homme qui travaille n'inquiète jamais vraiment. On me voyait, dans ma voiture, par tous les temps, arpentant chaque petite ruelle, chaque chemin écarté, à la recherche d'un cou disponible.

Il est très difficile de savoir combien de temps tout cela dura. Je sais juste qu'un matin, je me suis retrouvé avec une seule cravate. C'était la dernière, et cela m'a procuré à la fois un grand soulagement et une immense inquiétude. Je l'ai disposée en face de moi, et nous avons pris le petit déjeuner ensemble. Ce dernier bout de tissu marquait la fin d'une époque, celle de la reconstruction. C'était une cravate noire à pois blancs. Jusqu'ici personne n'avait voulu l'acheter, et j'avais presque de la peine pour elle. J'avais voulu la garder pour moi, mais cela n'aurait pas été une bonne chose ; il fallait qu'elle accomplisse sa destinée, celle d'être vendue. Je devais bien réfléchir au parcours que j'allais emprunter pour cette dernière mission. J'ai pensé à une maison qui m'avait particulièrement attiré, mais je n'avais jamais osé y aller. Pourquoi ? C'était difficile de le dire. C'était une sorte de manoir d'un autre temps, et comment l'exprimer : j'avais le sentiment qu'il s'y passait quelque chose. Je ne savais pas quoi, mais je me souviens avoir eu l'impression qu'il ne fallait pas déranger les occupants du lieu.

Aujourd'hui, tout était différent. C'était ma dernière cravate, et elle méritait un hors-piste. Cette maison serait idéale. J'ai passé le portail, avec ma valise, et c'était comme les derniers instants d'un spectacle, comme une tournée des adieux. J'ai marché lentement, avec le sens du mythe dans mes pas, et j'ai frappé à la porte. J'entendais quelqu'un, même si la personne ne faisait presque pas de bruit. Mes oreilles nouvellement habituées au silence avaient progressé dans leur capacité auditive. Oui, quelqu'un était là, et j'ai frappé alors avec un peu plus d'insistance. Une femme a ouvert. Elle avait une vingtaine d'années, les cheveux attachés, et je trouvais que ses cheveux étaient trop attachés. Elle m'a observé avec de grands yeux, puis, comme j'étais dans l'incapacité de parler, elle m'a demandé :

« C'est pour quoi ?

— C'est… c'est pour des cravates.

— Pour des cravates ?

— Oui… je vends des cravates… peut-être qu'il y a un homme qui… ou alors pour un cadeau. C'est une très bonne idée d'offrir une cravate. Les hommes aiment beaucoup qu'on leur offre des cravates. Mon oncle par exemple, je sais que ça lui faisait toujours plaisir…

— C'est bon, entrez », a-t-elle dit en coupant ma redoutable tirade sur l'oncle. L'essentiel était d'entrer. Le plus dur est fait quand on entre. Peu après, j'allais apprendre que cette jeune femme s'appelait Iris. Elle n'avait vu personne depuis plus de dix jours. La vision d'un homme, balbutiant, et qui tentait de lui vendre une cravate avait été une parfaite intrusion du grotesque.

Et il faut toujours faire entrer le grotesque chez soi.

J'ai ouvert la valise, et Iris s'est retrouvée face à une cravate orpheline. Elle m'a dévisagé avant de se mettre à rire. J'ai compris que tout cela était ridicule. Je me suis mis à rire aussi, et nos rires ensemble m'ont propulsé dans le souvenir du cercle du sourire. J'ai failli pleurer, mais j'ai tenu bon, en m'accrochant de toutes mes lèvres à mon rire.

« Vous n'avez qu'une seule cravate ?

— Oui, je sais, c'est un peu étrange, mais c'est la dernière. Après j'arrête.

— Si je l'achète, vous arrêtez ?

— Oui, c'est ça.

— Je vous mets au chômage ?

— Oui, c'est un peu ça.

— Vous savez que je vais l'acheter. Je ne peux pas faire autrement. Un vendeur qui vient avec une seule cravate. Je ne peux pas passer à côté de ça.

— Vous saurez à qui l'offrir ?

— Oui. À moi. J'adore porter des cravates. C'est mon côté Diane Keaton.

— Ah oui. Diane Keaton dans *Annie Hall*.

— Vous connaissez *Annie Hal* ?

— On peut vendre des cravates en Bretagne, et connaître *Annie Hall*. »

Iris m'a proposé un café. J'ai accepté car j'avais du temps maintenant. J'avais une vie à remplir. Iris m'a expliqué qu'elle écrivait un roman, et qu'on lui avait prêté cette maison pour qu'elle puisse travailler au calme. C'était son deuxième roman. Mais je n'avais jamais entendu parler d'elle. Je lui ai dit que j'étais en disponibilité des éditions Larousse. Elle a repris ma phrase, et c'était comme une sentence chamanique :

« Vous êtes en disponibilité des éditions Larousse… et vous vendez des cravates… enfin,

une cravate… en Bretagne… et… ah, j'ai compris…
c'est Jean-Marc qui vous envoie ? Ah ! C'est ça,
vous m'avez fait peur… Il vous envoie pour savoir
si je travaille bien ? Oh, que c'est drôle !

— C'est qui, Jean-Marc ?

— Ah, il n'y a que lui pour faire ça… Eh bien
oui, vous pouvez lui dire que j'avance bien ! »

Dans certaines situations, on ne peut pas arrêter
la pensée d'une personne. Ce que j'étais ou ce que
je faisais ne pouvait pas avoir d'ancrage dans le
monde réel. Il fallait trouver un moyen de me
rendre rationnel ; et ce Jean-Marc venait de me
rendre ce service. Alors oui, j'ai avoué que j'étais
un émissaire de son éditeur. Elle m'a expliqué
qu'elle commençait à voir la fin de son histoire. Je
lui ai demandé de quoi parlait son roman, et elle
m'a juste dit : « C'est l'histoire d'un couple qui se
sépare plusieurs fois. »

J'ai bu rapidement mon café. Elle a mis la cravate autour de son cou. Je n'étais plus capable de
savoir si une femme me plaisait ou non, mais j'ai
senti pour la première fois depuis des semaines
que je n'étais plus anesthésié. Qu'il y avait, dans
la vision de cette femme, la possibilité d'une vie
du lendemain. Je ne voulais pas la déranger plus
longtemps. J'ai pensé aussi qu'elle était peut-être
un signe du retour des mots dans ma vie. Je lui ai
souhaité bonne chance pour son roman, elle m'a
souhaité bonne chance pour ce que j'allais faire.

Qui sait ce qui pourrait advenir de nos deux bonnes chances. Je suis rentré chez Roland. Il fallait que je me décide.

V

Ce que je ne parvins pas à faire dans l'immédiat. J'ai annoncé à Bernard l'écoulement complet du stock. Il m'a dit que je pouvais rester tant que je voulais dans la maison. Mais que ferais-je ici sans cravates ? Toute la Bretagne me paraissait un territoire voué à la cravate. Pourtant, j'avais peur de rentrer à Paris. C'était évident, je n'avais pas le choix, je devais y aller, mais comment m'y prendre ? Mon passé m'attendait, et c'était le plus angoissant des avenirs.

Finalement, je n'ai pas eu à réfléchir bien longtemps. Une voiture s'est garée devant la maison. Une étrange voiture ; peut-être l'une des pires voitures de l'histoire des voitures. En l'observant depuis la fenêtre de la cuisine, je me suis demandé comment il était humainement possible de conduire ça. Cette réflexion fut coupée net par la vision du conducteur qui en sortit : c'était Paul. Il était accompagné de Virginie. Et tous deux frappaient maintenant à la porte. Je suis resté un instant sans bouger, violenté par cette intrusion. Puis j'ai ouvert. Paul m'a serré aussitôt dans ses bras (ai-je déjà dit que Paul était un grand affectif ?), et a versé quelques larmes qui ont provoqué les miennes : les larmes sont si charismatiques.

« Je suis si content de t'avoir retrouvé... si content...

— Moi aussi, dit Virginie. Cela fait une semaine qu'on tourne, qu'on interroge les gens.

— Pourquoi tu ne répondais plus aux appels ? » demanda Paul, avant d'admettre qu'il était bien inutile maintenant de poser toutes ces questions. Les choses s'étaient passées ainsi, et c'était tout. Il fallait juste être content de se retrouver aujourd'hui. Je crois, au plus profond de moi, que j'avais rêvé de ce moment, j'avais rêvé qu'un ami vienne me chercher, qu'un ami vienne me dire que faire, qu'un ami soit comme un père pour moi, et je ne pourrais jamais oublier ce que Paul venait de faire.

C'était l'heure du déjeuner, ils avaient faim. J'ai cuisiné quelque chose avec ce que j'avais. Il me restait un peu de saumon que j'ai fait mijoter dans une sauce au citron. C'est alors que je me suis souvenu :

« Ah mince, je suis idiot ! C'est vrai que vous n'aimez pas le saumon. »

Paul m'a regardé, surpris :

« Mais tu as vraiment cru à cette histoire ?

— Quoi ?

— La chute de tout le monde... dans une soirée... à cause du saumon... »

Bien sûr que j'y avais cru. Ne devait-on pas croire nos amis ? C'était peut-être même la seule croyance valable. Alors, non, je ne m'étais pas posé de question. Cela m'avait paru plausible... et en y repensant maintenant...

« Nous nous sommes rencontrés sur Internet..., dit Virginie. Et on voulait juste paraître plus originaux. »

Je me suis mis à rire de tout ça. Chacun créait le mythe de son histoire. Quel pouvait être le mien ? À quoi pouvais-je m'accrocher maintenant ? Moi qui avais pensé être un héros, que me restait-il ? N'aurais-je pas dû aussi inventer des détails de vie, créer des illusions pour le regard des autres, comme pour me protéger des trajectoires déviées, de la vie brutale et absurde ? N'aurais-je pas dû me modifier, me barricader de rêves, me transformer en l'un de ces héros fantasmés par les enfants ? Si j'avais la moindre chance de remodeler mon passé, par où passerais-je ? Par le versant illusoire sûrement.

J'ai coupé l'eau et le gaz, fermé les volets. J'ai fait toutes ces choses très simplement, presque froidement. C'était la fin d'une période. Je suis monté dans cette voiture surréelle. En compagnie d'un couple heureux, je suis retourné vers Paris.

VI

Je savais peu de chose sur ce qui s'était passé après le jour du (presque) mariage. Je savais juste qu'Alice était partie quelque part, peut-être en Bretagne d'ailleurs. Souvent, pendant les longues heures de route, j'ai pensé que je pourrais la croiser par hasard. J'avais espéré être ainsi sauvé. Mais il n'en fut rien. Alice était retournée à son statut d'avant notre rencontre : une femme parmi trois milliards de femmes.

Ses parents et les miens s'étaient occupés des questions matérielles, de rendre notre appartement, de déménager nos meubles. Mes parents avaient loué une camionnette et toutes mes affaires étaient disposées dans la chambre de mon enfance (chacun ses symboles). Je ne voulais plus jamais mettre le moindre vêtement que j'avais porté pendant ma vie avec Alice. D'une manière générale, je fuyais le moindre détail qui pût me rappeler mon drame. Par exemple, je ne voulais plus des livres qui avaient été rangés dans notre bibliothèque commune. Mais le plus compliqué demeurait l'espace géographique extérieur. Il était hors de question que je mette les pieds dans une rue où j'avais marché avec Alice. J'ai tenté de me souvenir de chacune de nos promenades, de chacun de nos rendez-vous, et j'ai tout noté sur une grande carte. J'ai délimité ainsi ma ville, avec de nombreuses zones interdites ; exactement comme Berlin délimité par les forces occupantes. Paris était divisé par la force occupante de mon passé.

Pendant un temps, j'ai vécu chez Paul et Virginie [1]. Je dormais tous les soirs sur le canapé du salon, non loin de leur chambre, et je pouvais parfois entendre les soupirs d'une vie sexuelle qui semblait tout à fait épanouissante. Mes amis étaient adorables, mais je savais bien que cette situation ne pourrait pas durer. Aucun couple ne peut supporter d'avoir à héberger trop longtemps une espèce de loukoum dépressif. Mais je dois dire qu'ils ne me mirent jamais la moindre pression, et tentèrent tous les soirs d'égayer ma vie, en me proposant des sorties au théâtre ou au cinéma :

« Ils passent *Les ailes du désir* à la cinémathèque ! s'enthousiasmait Paul, en surjouant grossièrement son enjouement.

— … ?!

— Mais il ne faut pas que ça te mette dans un tel état…

— … !?

— Bon, on va rester à la maison… tu as fait les courses, Virginie ?

— J'ai acheté du lapin. Ça va, Fritz, tu aimes le lapin ?

---

1. Je sais, ce n'est pas facile, quand on est à ce stade de sa vie sentimentale, de se retrouver avec un duo si évocateur. Mais que voulez-vous ? On ne choisit pas le prénom de ses amis.

— ... !?!? »

Il y a des soirs où je n'avais qu'une envie : aller me coucher. Mais comme ma chambre était dans le salon, je ne pouvais quand même pas leur demander de s'enfermer dans la leur dès huit heures. Il était temps que je prenne les choses en main, que j'avance, coûte que coûte, que j'avance dans le noir et dans le froid. Je ne pouvais pas continuer à être ainsi assisté. J'ai admis que les cravates avaient vraiment été utiles pour surmonter les premiers temps, mais qu'il devait y avoir une vie après la cravate.

Deux jours auparavant, Paul m'avait avoué avoir contacté mon patron, et que celui-ci avait confirmé que ma place m'attendait toujours. Ce dernier avait même voulu organiser un rendez-vous le plus vite possible, mais Paul, à juste titre, avait répondu que je les contacterais quand je m'en sentirais la force. Je me doutais bien que je n'aurais jamais la force de les appeler, mais que, au contraire, les appeler me donnerait de la force. Oui, je sais, c'est conceptuel, mais j'étais dans un état où ma capacité d'analyse était inversement proportionnelle à ma capacité à ne rien faire. Je végétais devant la télévision, fasciné par le télé-achat, par les chaînes d'information en continu, et, dans mon esprit vaporeux, il m'arrivait parfois de mélanger les deux et de m'imaginer que je pour-rais m'acheter un attentat à Bagdad.

Le soir venait, et c'était l'heure de *Questions pour un champion*, l'heure des *Larousse* offerts, et j'avais toujours beaucoup d'émotion, une émotion pleine de sueur froide aussi, à revoir cet objet que j'aimais. C'est après l'une de ces émissions que j'ai décidé de contacter mon patron. Il fut ravi de m'entendre, et je trouvais bien étrange son enthousiasme. Après tout, je n'avais été qu'un employé comme un autre. Depuis le début, son attitude avait toujours été plus que loyale. J'apprendrais plus tard qu'il avait lui aussi eu une relation, quelques années auparavant, avec Céline. Par conséquent, il avait vécu d'une manière intime ce que j'avais subi. Toute sa bienveillance à mon endroit découlait donc de ce fait. Quand nous nous sommes vus, le lendemain de mon appel, il commença d'ailleurs notre entretien par l'annonce suivante :

« Je tiens tout d'abord à vous dire que Mme Delamare ne fait plus partie de notre entreprise.

— Très bien, merci de me l'apprendre », ai-je répondu très gêné.

Pendant une heure, nous avons parlé de choses et d'autres, et c'était une discussion que je pourrais qualifier de véritablement humaine. Il voulait à tout prix me faciliter les choses et faire en fonction de mes envies. J'ai annoncé que j'étais prêt à retravailler, mais seulement à domicile. Je ne me sentais pas encore la force de retourner sur le lieu de mon crime. Il parut ravi de ma proposition, et

m'offrit de devenir le principal correcteur extérieur du *Larousse*. En sortant du café, nous nous
sommes serré la main. Pour la première fois
depuis longtemps, j'avais l'impression de pouvoir reprendre le cours d'une vie normale.

Le soir même, j'annonçai la nouvelle à Paul et
Virginie. Et quelques jours plus tard, que j'avais
trouvé un petit appartement, non loin de chez eux.
Je ne savais comment les remercier, ils avaient
vraiment été admirables d'amitié. C'était un
couple qui me fascinait par sa rondeur, cette façon
de toujours être d'accord, de respecter l'autre, ils
respiraient un profond épanouissement. Je voudrais dire autre chose aussi sur eux : je crois qu'ils
ont vraiment aimé s'occuper de moi. C'est étrange
comme pensée, je le sais, mais c'est ce que j'ai
ressenti. Noyés dans leur soulagement de me voir
partir, j'ai pu discerner des soupçons de regret.
J'étais comme leur grand enfant qui partait enfin
vivre sa vie. Et le mot « enfant » était peut-être le
plus juste, car c'est bien le soir où je suis parti de
chez eux qu'ils ont décidé d'en avoir un.

VII

Je me suis replongé dans le travail. Dans mon
petit appartement, je restais des journées entières
assis derrière un bureau, entouré de livres. Il m'ar-

rivait d'écrire à la bougie le soir, de vivre dans un monde hors du temps, de laisser des ombres m'envahir, et parfois de me promettre des jours merveilleux. J'avais accepté de revoir quelques amis, surtout les plus anciens, et j'étais capable d'avoir des discussions relativement correctes ; j'avais retrouvé une bonne capacité à faire de la relance interrogative. Je n'accordais aucun visa à l'évocation d'Alice, il ne fallait jamais parler d'elle, elle était taboue. Non que j'aie pensé cicatriser par le silence, j'estimais simplement qu'il ne servait à rien de la mentionner.

Chez Larousse, on était ravi de mes capacités et de mon rythme. On me félicitait, on me donnait de plus en plus de travail. Quand j'avais du temps, je continuais à rédiger de courtes notices biographiques. Parfois, j'aidais un destin à devenir quelques lignes entre les gloires posthumes. Et cela me procurait un intense plaisir ; allez savoir pourquoi. Peut-être parce que j'avais le sentiment d'avoir raté ma vie, de ne pas mériter la moindre virgule dans le dictionnaire. Il m'arrivait de vivre par procuration des destins que je jugeais exceptionnels ou atypiques. Je voyageais entre les vies, les lieux, les épreuves et les gloires des autres.

Les mois qui suivirent passèrent assez rapidement. Virginie avait accouché et j'étais très fier d'être le parrain de l'enfant de mes amis. Cela me donnait une obligation sociale, et c'était une raison d'avancer. Quand je sortais, c'était souvent pour acheter un cadeau pour Gaspard. Je vivais ce rôle comme une monstrueuse responsabilité ; quand ils m'avaient annoncé la nouvelle, j'avais été profondément ému par l'idée qu'on puisse me faire confiance. Quelques mois après sa naissance, ses parents m'expliquèrent que je n'avais pas à acheter autant de cadeaux. J'étais sans doute un peu trop encombrant, alors j'ai levé le pied. Paul et Virginie voulaient surtout que je retrouve quelqu'un. Et dans leur idée de « quelqu'un », il fallait comprendre une femme.

Virginie avait une collègue qui pouvait me plaire, pensait-elle. Elle voulait l'inviter à dîner, avec d'autres amis, pour que cela ne fasse pas trop « coup arrangé ».

« Comment sais-tu qu'elle peut me plaire ? lui avais-je demandé.

— Je le sens, c'est tout. Et puis je connais tes goûts.

— Ah bon ?

— Oui, c'est une fille gentille et douce.

— Et les cheveux ?

— Pas de problème. Elle a les cheveux lisses.

— Et… et… ?

— Oui. Elle parle allemand. »

Paul et Virginie riaient de mes critères, et encore, il ne s'agissait que des plus avouables.

J'avais accepté ce dîner uniquement pour leur faire plaisir, pour faire preuve de bonne volonté, car je me sentais absolument incapable d'envisager la moindre histoire. Quelquefois, pendant cette année, j'avais eu envie de faire l'amour, et j'avais vu alors des prostituées. Mais même la sexualité était un pays que j'avais déserté. C'était comme si mon saccage avait dévasté toutes mes capacités d'homme. J'étais quelque chose, mais je n'étais pas encore redevenu un homme. Il y avait l'idée de la douleur d'Alice qui me bloquait, qui me barricadait du monde des autres femmes. Cela n'aurait qu'un temps, je le savais, je le sentais à ma façon de progresser dans le désir. À l'évocation de cette Sonia qui « pouvait me plaire », je me suis dit : « Pourquoi pas ? » Et effectivement je ne fus pas déçu. Elle était beaucoup de ce que j'aimais.

Paul me regardait d'une manière si insistante. Je lui disais que tout était parfait dans le meilleur des mondes. Je voyais Sonia, et elle était comme une œuvre d'art moderne, quelque chose de si beau dans l'idée que cela n'a plus de valeur émotionnelle. J'aimais son élégance, sa façon de me faire croire qu'elle ne savait pas mon histoire. Nous étions assis côte à côte, et mes amis ne cessaient de faire rebondir tous les sujets en ma direction, pour me mettre en valeur. Parfois, les transitions n'avaient ni queue ni tête. Sonia parlait d'un film d'Orson Welles, et Paul, dans une frénésie que je ne lui connaissais pas :

« C'est incroyable ! Orson Welles a été marié à Rita Hayworth, une rousse… et même qu'on la surnommait La Rousse… et c'est fou, car Fritz travaille chez Larousse ! »

C'était de ce niveau-là, et parfois cela devenait tellement grossier que Sonia et moi en étions gênés. Étrangement, toute la beauté de cette soirée est venue de là : c'est cette gêne qui nous a unis. Nous n'avons cessé de nous faire des sourires, et subitement j'ai pensé que tout serait possible.

Nous sommes partis ensemble, et nos hôtes gloussaient intérieurement d'avoir si bien mené leur coup. Ce fut une belle soirée, comme le renouveau de quelque chose. Je n'ai pas cherché à réfléchir. J'ai raccompagné Sonia, et nous étions en bas de chez elle. C'était la situation typique d'un premier rendez-vous. Nous nous plaisions, c'était évident. Mais que faire ? Monter chez elle ? Descendre encore une bouteille ? Tant de pensées contradictoires m'assaillaient, et j'étais bien incapable de choisir. Je détestais ce temps du flottement, mais j'étais comme rouillé, je ne connaissais plus aucun mécanisme de la mécanique des rendez-vous. Tout cela durait bien trop longtemps, et il devenait ridicule que je n'aille pas chez elle. Au bout d'un moment, l'hésitation est synonyme de oui. C'est ainsi que nous nous sommes retrouvés dans son salon, à écouter de la musique qui ressemblait à du Schubert, ou bien était-ce les Beatles ? Mes oreilles mélangeaient les siècles. Nous avions beaucoup bu, et elle semblait heureuse de voyager loin de sa nature timide. Il y avait beaucoup de simplicité, et nous nous sommes embrassés, sans savoir quel âge nous avions.

C'est le lendemain matin que les choses se compliquèrent. Je ne sais pas pourquoi, mais j'ai éprouvé un violent malaise à être là, auprès de cette femme que je ne connaissais presque pas et qui avait été si merveilleuse. Je ne pouvais pas définir mon trouble, mais j'ai compris dès les premières lueurs que tout cela me serait impossible. Que je ne pourrais jamais faire semblant, que mon cœur séchait encore sous la pluie. Je suis parti, sans même laisser de mot. Dès son réveil, Sonia a dû comprendre que nous ne nous reverrions plus. J'ai pris la peine de lui écrire une longue lettre, sûrement démesurée, si l'on considère que, tout compte fait, nous étions deux adultes qui n'avaient fait que passer une nuit ensemble, que nous ne nous étions rien promis, mais j'avais tellement besoin de lui expliquer mon état d'esprit. Tant de mots pour dire finalement une seule phrase : je ne peux pas.

Deux jours plus tard, elle m'a répondu, avec beaucoup d'élégance. Quelques phrases bien tournées qui étaient un mélange de déception, de tentative de me faire changer d'avis, le tout très amical. Je fus soulagé. Mais bien moins d'écouter Paul qui me téléphona après avoir appris ma fuite :

« Nous sommes furieux contre toi ! s'énerva-t-il. Sonia est vraiment une fille bien.

— Je le sais, mais c'est juste que je ne peux pas.

— Alors qu'est-ce que tu vas faire ? Si tu veux vivre sur une île déserte, c'est ton problème ! Mais ni Virginie ni moi nous te rejoindrons !

— Mais…

— Il n'y a pas de mais ! Si tu ne veux pas vivre, alors on ne veut plus te voir ! C'est tout ! »

Je n'en revenais pas de sa brutalité subite. Jamais, auparavant, il n'avait élevé la voix. Il avait voulu produire un électrochoc, et ce fut le cas. Peut-être pas dans l'immédiat, mais il était évident que ses mots auraient tôt ou tard un effet sur moi.

VIII

Le fait de n'avoir pas pu vivre une histoire avec Sonia m'avait propulsé dans l'idée que je pourrais à nouveau être avec une femme (chacun ses paradoxes). De cet échec naissait une aspiration positive. Il n'est pas rare de rater d'abord ce qu'on va réussir, et c'est souvent même le ratage initial qui permet ensuite la réussite. Ainsi, c'est de cette nuit avec Sonia qu'allait découler toute la suite de mon histoire sentimentale.

J'ai mis du temps à comprendre tout ça. Mais la prochaine fois que je rencontrerai quelqu'un, je serai prêt. Et tout recommencera. Qui sera cette femme ? Parmi les trois milliards, où pouvait-elle bien être ? Où était cette femme qui possède ce que j'aime : un roulement mi-russe mi-suisse des iris ? Et ce n'était certainement pas en restant chez moi toute la journée que je pouvais la rencontrer. À part peut-être ma voisine ? Mais elle avait trop de chats pour aimer les hommes. Alors comment ? Par les petites annonces ? Comme Paul et Virginie. Mais pour une rencontre miraculeuse, combien en ratons-nous avant ? Je n'avais pas envie de passer des heures dans des cafés à m'expliquer, à me résumer, à m'exciter sur l'éventualité d'un point commun. J'ai repensé souvent à Sonia pendant ce temps, et j'avais voulu la revoir. Mais il était trop tard. Elle avait rencontré quelqu'un. Ce quelqu'un qui vivait sous le soleil de mon refus. Qui devait son bonheur à mon incapacité à être heureux. Je pensais souvent aux histoires amoureuses, à l'idée que des détails ridicules pouvaient modifier des décennies. J'avais lu une phrase qui disait : « Il y a des personnes formidables qu'on rencontre au mauvais moment, et des personnes qui sont formidables parce qu'on les rencontre au bon moment. » Je pensais à ce bon moment, et je crois qu'enfin j'accédais au bon moment du bon moment. J'avais surtout renoué avec l'envie. Je passais du temps, assis à la terrasse d'un café, à regarder les femmes. Il y avait celle-là, et celle-là aussi, elle marchait avec beaucoup d'élégance, une vraie rhapsodie des rotules, mais problème : elle promenait un chien, et je n'aime pas trop les femmes qui ont des chiens. Je ne perdais pas espoir, et j'entendais déjà au loin les talons aiguilles d'une nouvelle inconnue. J'aimais ces moments de la recomposition du fantasme, temps minutieux où chaque particule féminine revenait à moi avec des propositions du peut-être.

*

Aby Warburg (1866-1923) : Historien de l'art qui a beaucoup étudié la Renaissance italienne et le rituel du serpent chez les Hopis d'Amérique. Personnage atypique (on dit qu'il parlait aux papillons), il a également été un très grand bibliothécaire. Accumuler des livres fut sa plus grande passion, et il ne cessa d'émettre des théories sur leur rangement. Parmi elles, on retrouve celle du « bon voisinage », selon laquelle le livre que l'on cherche n'est pas forcément celui que l'on veut lire.

*

C'est alors qu'il se passa quelque chose qui allait changer toute ma vie. Au tout départ, cela n'avait été qu'une histoire d'anniversaire. C'était celui de mon filleul à la fin de la semaine, et j'avais appelé Paul à cette occasion :

« Pour Gaspard au moins, tu acceptes de me voir ? avais-je demandé.

— Mais oui, bien sûr. Passe à la maison samedi.

— Tu m'as manqué, ai-je dit subitement.

— Tu m'as manqué aussi. Mais j'espère que tu as réfléchi à ce que je t'ai dit.

— Oui, j'ai réfléchi. J'ai beaucoup réfléchi.

— Tu n'as fait que réfléchir ?

— Oui, mais maintenant je réfléchis à la façon de passer à l'action. »

Cette phrase fit rire Paul, et ce rire me fit un bien fou. Il avait eu raison d'agir ainsi avec moi, mais je n'avais pas pu avancer plus vite. J'étais si heureux à la perspective de les revoir samedi. Du coup, la recherche du cadeau d'anniversaire prit une valeur vraiment particulière.

J'ai beaucoup marché, de magasin de jouets en magasin de jouets, regardant tout ce qui existait, testant certains jeux de construction devant des vendeuses qui me prenaient pour un grand enfant. Des femmes aussi me regardaient, sûrement des mères de famille, et j'ai compris qu'un magasin de jouets était le meilleur endroit pour faire des rencontres. Il était si facile d'engager la conversation, sur les âges, les expériences, les « ah bon, vous avez été déçue par ce jeu ? » et les « j'ai l'impression que pour les puzzles c'est comme les vêtements, il faut prendre pour plus grand ». J'ai passé une belle journée dans cet univers parallèle, et j'ai finalement trouvé mon bonheur. Un simple ours en peluche. J'avais vu toutes sortes de jeux d'éveil, de voitures ultraperformantes, mais rien ne m'avait davantage touché que ce petit ours tout rouge. Je trouvais que c'était un cadeau personnel, et peut-être serais-je toujours associé à cet ours dans l'esprit de Gaspard ?

Après avoir payé, j'ai demandé un paquet-cadeau, et l'on m'a indiqué une jeune femme qui s'occupait de les faire. J'ai marché lentement vers elle avec mon ours en peluche. J'ai été surpris de son accueil avec un grand sourire (ou alors, souriait-elle à l'ours ?). Je lui ai donné la peluche, en énonçant la phrase la plus évidente qui soit :

« C'est pour un paquet-cadeau.

— Oui, très bien. »

La jeune femme a pris une feuille, et j'ai découvert ses mains. Elle avait des doigts vraiment magnifiques. À cet instant, j'ai rêvé de lui toucher la main. J'ai rêvé de quelque chose de flou, mais j'ai su qu'elle me plaisait d'une manière très précise. Elle s'activait avec délicatesse, et cela me procurait davantage d'émotion. Le paquet était presque fini, et il fallait que je trouve quelque chose à dire, quelque chose de brillant qui puisse être développé, surtout pas quelque chose auquel on pourrait répondre par oui ou par non. J'ai balbutié :

« C'est pour mon filleul… c'est son anniversaire samedi.

— Ah bon, samedi ? a-t-elle dit. Comme moi. »

C'était incroyable. J'avais vraiment de quoi enchaîner. Et puis elle avait eu une façon de relever la tête pour me dire « comme moi »…, droit dans les yeux.

« Ah bon… c'est drôle… c'est votre anniversaire samedi ?

— Oui, c'est mon anniversaire samedi.

— Ce samedi-là ? ai-je demandé encore, pour être bien sûr.

— Oui, ce samedi-là. À 15 h 30 pour être précise.

— À 15 h 30, samedi. Très bien… »

Je suis parti, après avoir bafouillé quelques mots de remerciement. Je crois qu'elle avait décelé mon trouble. Je crois aussi qu'elle n'avait pas été insensible à la manifestation de ma maladresse. Une évidence absolue : j'allais revenir samedi à 15 h 30 lui souhaiter son anniversaire. Je devais maintenant, et c'était comme une étrange chaîne, partir à la recherche d'un cadeau pour la fille des paquets-cadeaux.

Il ne fallait pas acheter un cadeau trop impressionnant, pour ne pas lui faire peur. Un livre serait parfait, c'était un cadeau simple et rassurant, un cadeau qui mettait en confiance, un cadeau intime mais sans être trop intrusif. Je suis rentré dans une librairie, j'ai marché entre les rayons d'une manière flottante. Et c'est à cet instant précis que je suis tombé nez à nez avec : une photo. C'était un visage qui me disait vraiment quelque chose. Il ne me fallut pas bien longtemps pour me souvenir. C'était la fille de la dernière cravate. Elle avait publié son deuxième roman chez Stock, un éditeur qui met souvent la photo des auteurs sur le bandeau. Je suis resté figé un long moment devant l'ouvrage, dans l'incapacité totale de faire quoi que ce soit d'autre. J'ai découvert son nom : Iris Meurisse. Cela sonnait comme un pseudonyme. Je l'ai répété plusieurs fois dans ma tête. Le titre du roman était *Nos séparations*, et je me suis souvenu qu'elle m'avait bien dit qu'il s'agissait de l'histoire d'un couple qui se sépare plusieurs fois. J'ai pris alors le livre en main, sans savoir encore que, dans quelques secondes, il allait tomber de ces mêmes mains. Tomber, car j'allais lire la chose suivante, à la première page :

À l'homme qui ne vend qu'une seule cravate.

166

Ce fut un choc. J'ai acheté le livre, et suis rentré le lire. Je l'ai lu dans le salon, dans ma chambre, dans les toilettes ; je l'ai lu assis, debout, allongé. Je l'ai lu sans m'arrêter, et pourtant j'étais bien incapable de dire si je l'aimais ou non. Mon intérêt était peut-être lié à une excitation égocentrique ? On ne lit pas de la même façon un livre anodin et un livre qui vous est dédié. Je ne pouvais m'empêcher d'y chercher des signes, des codes, des allusions, et je ne trouvais finalement qu'une histoire triste. D'une tristesse banale. Enfin non, on ne pouvait pas dire ça. La fin était vraiment surprenante. En refermant le livre, j'ai écrit à l'auteur à l'adresse de son éditeur.

IX

Les choses allèrent très vite. À peine Iris avait-elle reçu ma lettre qu'elle me téléphonait pour que nous nous rencontrions. J'avais laissé mon numéro de téléphone, pour montrer que j'étais pressé aussi de la revoir. Depuis que j'avais vu sa photo, notre rencontre s'était recomposée en moi d'une manière précise, sans le filtre déformant qui s'était apposé à beaucoup d'événements de cette période. Cette femme était liée dans mon esprit à quelque chose qui la dépassait forcément, liée à cette dernière seconde de la convalescence. J'avais été sauvé par les cravates, et elle avait été comme la dernière infirmière croisée en sortant d'un long séjour à l'hôpital.

Nous devions nous voir près de la Maison de la radio, où elle enregistrait une émission. J'étais très en avance, car je ne voulais pas être un petit peu en retard. Je fus surpris de la voir déjà assise dans le café. Elle paraissait toute blanche, comme souffrante. C'était une vision étonnante, cette intrusion subite de la blancheur. Était-ce le signe d'un retour du blanc aux premières loges de ma vie ? Il y avait un autre détail particulièrement troublant : elle portait la cravate. J'en fus réellement ému. Et j'ai marché vers elle, avec le sentiment que c'était un grand pas pour mon humanité.

Iris avait effectivement du mal à parler, à cause d'une rage de dents. Elle avait été contrainte d'annuler l'émission, mais pas notre rendez-vous. J'en déduisis que j'étais plus important que de nombreuses oreilles. Comme elle ne pouvait pas s'exprimer, j'ai proposé que nous nous écrivions de petits mots. Ce serait plus simple. Nous avons bien sûr reparlé d'abord de notre première rencontre. J'ai confirmé que je n'avais pas été envoyé par son éditeur, et que j'étais vraiment un employé des Éditions Larousse qui avait vendu des cravates en Bretagne. Elle m'a expliqué que mon intrusion lui avait donné l'énergie de finir son roman, comme si j'avais été une muse, comme si mon apparition poétique lui avait permis d'explorer davantage le roman. « Quand la vie dépasse le roman, que peut devenir le roman ? » a-t-elle dit d'un ton que j'ai trouvé un peu dramatique. Mais je fus vraiment surpris d'apprendre à quel point mon intrusion avait modifié son travail. En relisant son livre j'ai constaté effectivement, et avec une pointe d'étrange satisfaction, que la seconde partie était plus débridée. Avec cette scène, par exemple, où les personnages perturbent un enterrement.

Nous avons passé deux heures à nous écrire des petits papiers et, bien des années après, nous les regardons encore avec émotion ; comme des hiéroglyphes de notre amour. Car nous allions tomber amoureux. Pour le moment, il fallait parer à une urgence : son mal empirait. J'ai proposé que nous partions immédiatement chez le dentiste le plus proche. Elle trouvait que ce n'était pas très élégant comme premier rendez-vous. Au contraire, je trouvais qu'on pouvait difficilement faire un rendez-vous plus romantique. Dans la salle d'attente, j'ai essayé de la divertir en lui racontant des histoires. Le dentiste nous appela enfin. Je suis resté près d'elle, lui tenant la main, lui soufflant des mots d'encouragement. Elle souffrait d'une vive inflammation. Il s'est alors passé une chose étrange : j'avais une vue plongeante sur sa dentition, ce qui me permit de repérer une fissure sur la troisième dent du haut en partant de la gauche. C'était le même point commun qu'entre Alice et moi. Et si ma théorie de la reconnaissance des dents se révélait exacte ? Elle était soulagée, et je l'observais avec beaucoup d'émotion. En sortant, nous nous sommes séparés, et ce fut un moment perché quelque part au-delà de la tendresse.

X

Deux jours après, je lui ai téléphoné pour prendre de ses nouvelles. Elle allait bien mieux. Après un court échange, il y eut un blanc interminable. On parle toujours de l'angoisse du premier rendez-vous. Mais s'il se passe bien, il rend le second encore plus angoissant. La peur de se revoir, la peur de se décevoir. Finalement, j'ai tenté :

« Je voudrais beaucoup vous revoir… en fait, pour tout vous dire… je dois aller demain chez l'ophtalmo, et je voulais vous proposer de venir avec moi… »

Ainsi commença notre histoire. Tous nos premiers rendez-vous furent médicaux ou administratifs. Je devais faire refaire mon permis de conduire, elle est venue avec moi. Ensemble, nous avons obtenu une bourse d'aide à la création pour elle, réussi à changer deux fois d'opérateur téléphonique, etc. Pendant des semaines,

nous avons vécu de formulaires et d'eau fraîche.
Paul s'inquiétait :

« Alors ça avance avec Iris ?

— Oui, je pense qu'on devrait recevoir son acte
de naissance d'ici à deux jours tout au plus.»

Comment expliquer que la visite d'une quelconque préfecture pouvait dépasser le charme de
Venise ? D'entrée, nous avions vécu cette relation sur un mode qui n'existait nulle part. C'était
sûrement la seule façon pour moi de guérir d'Alice,
de partager de l'inédit avec une femme. Bien sûr,
cela ne pouvait durer : vint un jour où, même en
cherchant bien, nous n'avons plus eu la moindre
démarche à faire. Il fut alors temps d'être comme
les autres, de s'embrasser sur un banc public, et
d'aller voir des mauvais films au cinéma. J'ai vécu
les premiers instants de la normalité amoureuse
comme une folie.

J'ai été surpris, vraiment surpris par la force de
notre début. Et c'est sans doute cette surprise qui
rendit moins surprenante la suite. Je crois que nous
avons payé ce démarrage en fanfare, ce démarrage
où les contours de l'espace n'existaient pas. Il y
eut ce premier été où nous sommes partis en Bretagne, dans la maison de la dernière cravate. Le
bonheur montait des pieds à la tête. Iris était une
bulle extirpée de la douleur que j'avais vécue, une
bulle qui grossissait démesurément, et je pouvais

la contempler progresser dans le ciel sans ressentir la frayeur de son explosion. Nous avons passé des heures à travailler. Iris tentait d'écrire un nouveau roman. Je respectais religieusement ses longues heures de création où le silence devait être absolu. Je n'avais jamais imaginé vivre avec un écrivain, et je l'observais parfois comme un spécimen. Il me semblait que l'écrivain était une sorte d'ermite mondain qui s'excitait souvent sur un mode contradictoire : Iris, par exemple, voulait rentrer quand nous étions dehors, et elle voulait sortir quand nous étions à l'intérieur. Elle était purement cyclothymique, une chose qu'il m'arrivait d'aimer comme de détester : j'avais un rapport cyclothymique à sa cyclothymie.

Elle n'était pas la seule à avoir besoin de calme. Je voulais tirer la couverture de la concentration de mon côté aussi. En disant cela, j'appuie d'une manière légèrement grossière sur la petite crise d'infériorité que peut ressentir parfois le compagnon de l'écrivain. Comme si le romancier, de sa tour de cristal, jugeait les basses œuvres des non-romanciers. C'était bien sûr un sentiment que je ne fondais sur rien de concret. Bien au contraire, Iris s'intéressait à mes travaux, aux notices pour le *Larousse*, et à toutes mes pages griffonnées sur la vie de Schopenhauer. Il m'arrivait de me demander pourquoi, alors que j'étais dans les vagues du bonheur, je m'excitais sur cet homme qui avait écrit des choses sinistres. Il fallait sûrement être heureux pour le comprendre.

De retour à Paris, nous avons eu une longue discussion, et pourtant je ne vais en retranscrire que deux phrases. Iris parlait de son roman, de son incapacité à avancer (une évocation récurrente). Tous les jours, elle pensait ne jamais y arriver. Elle avait simplement besoin d'être rassurée, ce que je faisais plus ou moins habilement. Mais elle ne m'écoutait pas. C'était un phénomène que j'avais déjà remarqué chez elle : la page blanche lui bouchait les oreilles. Et donc, voilà ce que nous nous sommes dit :

« Fritz, je n'arrive pas à écrire. Il n'y a rien qui sort.

— Alors faisons un enfant. »

C'était idiot, c'était presque un jeu de mots, mais dès que cela fut évoqué, il nous apparut évident que nous avions envie d'un enfant. C'est de cette incapacité à écrire qu'est né Roman, un an plus tard. Oui, nous avons eu un garçon, et nous l'avons appelé Roman. « Comme Roman Polanski ? » nous demanderait-on souvent. « Non, comme un roman », dirions-nous simplement.

J'ai aimé être père. Pour la première fois, j'ai éprouvé concrètement cet enracinement que j'avais tant recherché. J'avais l'impression physique de cicatriser une souffrance ontologique. Le plus surprenant était de voir l'attitude de mes parents à l'égard de Roman. Ils en étaient fous, comme si le fait d'avoir épargné tant de leur amour avec moi leur offrait une réserve infinie d'attendrissement. Je ne les avais jamais tant vus. Voulaient-ils jouer mon rôle à ma place ? Il y avait de quoi être perturbé. Dans un premier temps, je n'arrivais pas à savoir si je devais me réjouir de cet envahissement, ou mépriser leur attitude, l'atroce spectacle qu'ils m'offraient : l'amour que je n'avais jamais reçu. Je crois simplement que la vieillesse les rattrapait, en les couvrant de ses vertus altruistes. Ils allaient mourir, je ne savais pas quand, sûrement dans longtemps, mais c'était vraiment cela que je voyais dans leur attitude : la conscience de la mort. Assez vite, je n'ai plus cherché à réfléchir, simplement à poser des limites. Je n'écoutais pas leurs conseils (car oui, ils osaient donner des conseils), et ma mère ne s'offusquait pas. Elle savait parfaitement que si elle s'aventurait par là, ses oreilles n'en finiraient plus d'entendre les reproches que j'avais toujours tus. Je n'aimais pas les conflits, et ils pouvaient se féliciter de cet aspect de ma personnalité. Ma mère se penchait sur le berceau de mon fils : « Oh comme il est mignon ! Et c'est drôle, il rote exactement de la même manière que toi, Fritz ! » Elle avait donc des souvenirs de mon enfance.

Avec nos emplois du temps souples, Iris et moi avons pu passer beaucoup de temps auprès de notre enfant. Et pour tout dire : notre union s'est exclusivement concentrée sur Roman. Il était notre couple. Le fruit de l'amour, dit-on souvent ; en oubliant que le fruit se mange au dessert, et qu'il est rare d'avoir encore faim après. Entre nous, les choses se sont dégradées. Certainement pas d'une manière hystérique. Ce fut calme, presque indolore, une lente succession d'anesthésies locales. Avec du recul, car j'ai du recul aujourd'hui, c'était bien idiot de penser que l'enfant était responsable de notre émiettement. Si je repense vraiment à mon attitude de l'époque, à ce que je voulais vivre, à ce que je voulais préserver de nous, il m'apparaît évident qu'Iris est la principale responsable de notre agonie. Oui, moi, je voulais tellement vivre en couple, créer les conditions d'une famille solide. « Tu veux une famille unie », voilà ce que je me répétais d'une manière incessante.

J'ai souffert. Je me suis accroché à quelque chose qui fuyait, dérapait sous mes baisers, ma tendresse, et mes tentatives de trouver le vrai. Il y a tant d'enfance dans nos amours : tant de notre enfance. Le mécanisme de mon cœur était parfois si simple, presque humiliant dans sa névrose translucide. Ma vie était, de ce point de vue, une machine à économiser des séances chez le psy. Car je voulais vivre enfin ce que je n'avais pas vécu. Mais comment le faire avec Iris ? Oui, elle était là, elle souriait, elle vivait, elle mangeait, elle dormait, elle m'écoutait, elle écoutait Roman, mais il y avait toujours une partie d'elle qui n'était pas avec nous, qui vivait là-haut dans les sphères du monde autonome qu'est la création. Parfois, elle nous épuisait de ses humeurs, et je la détestais de tout gâcher. J'ai souvent pensé : être écrivain, c'est juste un alibi pour faire chier tout le monde. Je respectais ses désirs, mais lentement, j'ai pris de la distance, de plus en plus de distance, et maintenant je regarde Iris avec la tendresse du passé, et la tristesse de l'échec progressif. Ces derniers temps, elle est revenue vers moi, en me disant : « J'ai tellement besoin de toi, Fritz, tellement besoin de ta stabilité. » Je l'ai regardée comme une étrangère, et c'est vrai qu'elle l'était devenue ; je ne me souvenais plus très bien de son corps. Il était comme une entité floue, un vestige, une photo ratée. En Bretagne, pendant notre premier été, Iris chuchotait : « Faisons encore l'amour, faisons encore l'amour comme si nous n'existions pas. » Je ne comprenais pas ce qu'elle voulait dire, mais il fallait croire que je savais le faire, car elle soupirait de plaisir. Je savais si bien ne pas exister. Il m'était arrivé de chuchoter son prénom pendant nos ébats, et elle m'avait repris avec vigueur :

« Ne dis jamais mon prénom quand nous faisons l'amour.

— Mais qui êtes-vous mademoiselle ? » avais-je répondu, car c'était le temps de notre amour où j'avais de l'humour.

Cette dégradation, j'avais voulu me battre contre elle. Il était hors de question d'abdiquer. J'avais peur d'un échec plus que tout. Plusieurs fois, j'avais tenté de mettre de la vie dans le sinistre qui nous gangrenait. Je mettais du paprika dans les pâtes, j'achetais des roses tous les jours, je riais d'une manière grossière, j'étais sûrement assez pathétique. Il faut beaucoup d'amour pour pouvoir endosser ce costume de super-héros moderne : celui qui tente de sauver du quotidien le battement du cœur. Mais le quotidien n'est pas seulement qu'une machine à tuer les minutes. Pourquoi n'arrivais-je plus à faire rire Iris ? Pourquoi me regardait-elle parfois avec un petit air de mépris, moi le petit employé de Larousse, pourquoi fallait-il que je sois le souffre-douleur d'une vie qu'elle estimait ratée ? Tant de pourquoi pour une telle évidence. Celle d'un décalage. Nous avions chacun notre pièce ; je passais des heures dans mon bureau devenu mon refuge. Et voilà, c'est là que le passé est venu me parler.

J'écoute sonner le téléphone, puis je décroche. J'entends la voix d'Alice, et je peux l'avouer maintenant : cela ne m'a presque pas surpris. J'ai toujours su que nous nous reparlerions un jour. Je suis resté suspendu à sa voix, sans pouvoir prononcer une parole, et elle a dû me redemander : « Tu es là, Fritz ? Tu es là ? » Et j'ai répondu : « Oui, je suis là. » Ce fut vraiment notre premier dialogue, après dix ans.

Nous étions là.

« J'ai besoin de te voir…, a-t-elle dit.

— Ça va ? Tu as une toute petite voix.

— Non, ça ne va pas. Non, ça ne va pas. Et il n'y a que toi que j'ai envie de voir. Il n'y a que toi.

— D'accord, Alice. Je suis là. On se voit quand ?

— Maintenant. Si tu peux, je veux te voir maintenant. »

J'ai repensé au mot maintenant.

Et j'ai compris que cela voulait dire maintenant.

QUATRIÈME PARTIE

I

Nous avions rendez-vous dans un café à mi-chemin de nos deux appartements. Comme il y avait une grève du métro, c'était compliqué. Tous les taxis étaient pris d'assaut, alors j'ai marché, et j'ai marché de plus en plus vite, puis j'ai couru, et je sais que tout cela va paraître bien typique, mais il s'est mis à pleuvoir. Je me suis souvenu avoir couru après Alice, le jour de notre mariage, écrasé par la chaleur, et voilà que dix ans après, je courais vers elle sous la pluie. Je ne cessais de penser à sa voix, à la tristesse de son ton, c'était sûrement le désespoir qui l'avait poussée à m'appeler.

Je suis entré dans le café. J'ai balayé les lieux du regard, Alice n'était pas encore là. Il n'y avait presque personne, sûrement à cause des problèmes de transport, les gens restaient chez eux.

Le moment avait l'ambiance du vide. Le jour où je revoyais Alice, tout s'arrêtait. Elle est apparue, nous nous sommes vus immédiatement. J'ai pensé : dans une foule, cela aurait été la même chose. Elle s'est assise devant moi, puis s'est excusée de ne pas m'avoir embrassé et s'est levée à nouveau. Une pantomime de gêne. Après ce bonjour qui fut un simple effleurement de joues, nous sommes restés assis un moment, juste à nous dévisager, sans rien dire, et lentement tout ce que je savais d'elle se recomposait. C'était si étrange. Alice avait vieilli, oui elle avait vieilli, c'était une autre femme, c'était vraiment une autre femme, et pourtant dès les premières secondes, je reconnaissais tout de ses attitudes, ses gestes n'avaient pas pris une ride. C'était un étrange mélange qui était assis devant moi, j'éprouvais la sensation de connaître parfaitement une inconnue. J'étais dans l'incapacité de dire quoi que ce soit. À part :

« Tu veux boire quelque chose ?

— Oui, de l'alcool. Un whisky.

— C'est bien. Je vais prendre pareil. »

Je me suis levé pour aller voir le serveur, oubliant subitement que le rôle du serveur était de venir nous voir.

Le visage d'Alice était crispé par la douleur. Elle m'avait pourtant souri à plusieurs reprises, comme pour me dire qu'elle était contente de me voir, pour me dire que le passé était oublié. C'était peut-être moi qui interprétais ses sourires, mais il me semble vraiment qu'il n'y avait plus aucune trace du passé maintenant. Et j'allais comprendre pourquoi. J'allais comprendre pourquoi le présent venait de tout anéantir sur son passage.

« C'est Lise, m'a dit Alice.

— Lise ?

— Oui, c'est Lise. Elle est morte. »

Je ne savais que dire, et Alice ne pouvait plus parler maintenant, puisque des larmes couvraient ses mots. J'ai pris sa main. Un instant, j'ai éprouvé une honte terrible à être heureux de prendre sa main. Mais c'est ainsi, tout le malheur du monde, et c'était le cas, ne pouvait effacer le passage éclair d'une jouissance, celle de toucher la main d'Alice. Et je crois qu'elle était heureuse aussi, puisqu'elle caressait la mienne, et le moment entre nos mains se prolongea, et encore un peu. Le temps de prendre un autre whisky, puis un autre aussi. J'ai appris le courage de Lise qui avait lutté pendant des semaines contre un cancer qui s'était rapidement généralisé, son courage et sa force de vie. Jusqu'aux derniers instants, elle avait tenté de ne pas sombrer, avait même eu la capacité de faire de l'humour, de parler du futur comme d'une destination sérieuse.

Alice avait tout quitté pour s'occuper de sa sœur. Pendant des mois, elle avait vécu dans un monde qui n'existe pas. Elle s'était éloignée de sa vie professionnelle, de son mari aussi qui n'avait su comment réagir pendant cette période, et elle ne pouvait pas lui en vouloir, et même de sa fille ; il lui était arrivé de ne plus être capable de prendre Caroline dans ses bras. Alors, elle était presque soulagée d'être là, d'être dans l'ailleurs de sa vie, ce que je représentais depuis toujours. Les événements furent évoqués par bribes, parsemés de blancs. Les mains ne nous suffisant plus, nous sommes sortis. Il ne pleuvait plus. Nous sommes restés un long moment à nous serrer dans les bras l'un de l'autre, *un moment qui dure encore maintenant.*

La nuit était là, et Alice a chuchoté :
« Fritz, je veux que tu sois là demain.
— Oui.
— Je veux que tu viennes à l'enterrement. Elle t'aimait beaucoup, tu sais. On parlait souvent de toi.
— Je serai là. »
Je l'ai regardée partir, elle ne marchait pas droit.
J'avais tant de peine pour elle.

II

Le soir, encore bouleversé, j'ai confié à Iris que j'avais revu Alice. Le dramatique aurait mérité un peu de tenue, mais elle a joué une sorte de scène de jalousie. Pourtant, aucune scène de jalousie n'avait dû sonner aussi faux. C'était une scène méthodique, récitée. Le fantôme d'Alice qui avait été si présent dans notre couple pendant nos premières années n'existait plus maintenant. Ce que disait Iris c'était ce qu'elle avait pensé dans le passé. J'écoutais sa scène, et c'était si loin, tout ça. Le retour d'Alice n'était rien pour elle. Si rien qu'elle ne se rendait pas compte du contexte, elle n'évoquait même pas Lise. Iris était devenue insensible. Insensible à moi. Une sorte de monstre de froideur qu'enfante le couple. Elle s'est retournée, et j'ai regardé son dos. Quelques heures auparavant, j'avais regardé partir le dos d'Alice. C'était le grand écart des dos. Et ce dos qui était là maintenant n'était certainement pas celui que je voulais. Je tournais le dos à ce dos, et je pensais à demain avec des larmes dans mes yeux qui ne se fermeraient pas.

Je suis arrivé en avance au cimetière. Il était préférable que je reste à l'écart. Alice désirait ma présence, mais il n'était pas question de faire mon grand retour auprès de sa famille. J'ai marché entre les tombes, en pensant à tous ces corps allongés qui avaient eu de grandes idées, des joies et des peines, des jouissances, et peut-être avaient-ils été très sexuels tous ces corps, et je voulais vivre maintenant, je voulais rencontrer une femme, quelque chose de flou envahissait mon esprit, et je repoussais ici, clairement, entre les morts, plus que jamais, Iris.

*

Fritz (1979-) : Jeune homme sympathique qui, malgré une enfance chaotique, a fait de brillantes études. S'est retrouvé très vite à la tête des Éditions Larousse, mais n'a cessé de nourrir en parallèle le projet d'une biographie de Schopenhauer en quatre volumes. Son union avec un écrivain dont nous n'avons plus de traces semblerait l'avoir inhibé dans ce désir. La seconde partie de sa vie est bien plus lumineuse, avec notamment le projet d'une bibliothèque uniquement destinée à l'usage des femmes.

*

J'ai continué à errer, puis Alice est arrivée. Je l'ai vue au loin, avec sa fille tout près d'elle, si belle petite fille qui devait avoir le même âge que Roman, et juste derrière elles, je discernais un homme que j'imaginais être le mari et le père. Le jour d'un enterrement, on ne peut tirer aucune conclusion d'une image familiale. Tout le monde semblait soudé par le drame, écrasé, figé. De là où j'étais, c'était la sensation d'immobilité qui dominait. Comme il y avait beaucoup de monde, je me

186

suis permis de me rapprocher. Personne ne me repérerait. J'ai avancé, lentement, en repensant à Lise sautillant dans le couloir, la première fois que je l'avais vue. Les images se mélangeaient dans ma tête, et il y avait aussi le souvenir des nazis traqués, des images dans sa chambre, et de son projet de roman. À chaque pas vers elle, c'était une image qui me revenait, et je composais en moi une sorte d'hommage intime.

C'est alors que j'ai senti une main sur mon épaule. Je me suis retourné, et j'ai mis un instant à reconnaître le père d'Alice. Il avait tellement vieilli. Surtout, il n'avait plus rien de cet homme si sûr de lui. Je le voyais face à moi tout froissé, rabougri, une sorte d'homme qui allait entrer très rapidement dans la peau d'un vieillard. En regardant ses yeux, j'ai éprouvé une douleur immense. Comment dire ? Bien sûr que la mort de Lise m'effondrait, que la vision d'Alice meurtrie m'avait hanté, mais le visage rongé de leur père me plongeait réellement dans la douleur, dans leur douleur.

« C'est toi, Fritz. Je te reconnais », voilà ce qu'il m'a dit en me fixant.

« Oui, je suis venu…

— Oh, Fritz… pourquoi ? Pourquoi ça nous arrive à nous ? »

Il ne pouvait plus dire un mot, il hoquetait, lui qui avait toujours paru si fier et si fort, il pleurait sur mon épaule, comme un enfant, comme un mourant. Il n'y avait rien à dire, alors je l'ai serré dans mes bras, je l'ai serré du mieux que j'ai pu dans mes bras. Il s'est alors approché des autres, marchant vers le cercueil. Je n'avais aucun doute : il suivrait bientôt sa fille.

La cérémonie fut vraiment très pénible. Alice a tourné la tête un instant, et elle a vu que j'étais là. J'aurais voulu la soutenir, mais ce n'était pas mon rôle.

III

Alice avait retrouvé ma trace dans l'annuaire, mais depuis nous avions échangé nos numéros de portable. Cela peut paraître anodin, mais c'était si étrange de savoir qu'elle était là, dans mon répertoire, et qu'il me suffisait d'appuyer sur une touche pour lui parler. Alice au bout de mes mains. Je ne savais pas si je devais lui envoyer un message. Et surtout : quelles étaient mes intentions. Je voulais la consoler, être près d'elle, lui tenir la main sûrement, et c'était bien autre chose que de l'amitié. Avais-je le droit de ressentir cela ? Que pensait-elle ? J'ai arrêté de réfléchir, et je lui ai proposé qu'on se voie. Elle m'a répondu très rapidement, un oui, mais pas n'importe quel oui, un oui en allemand.

Dès le lendemain, nous nous sommes retrouvés. Avec peu de mots. C'était comme une nécessité physique. Nous sommes entrés dans un hôtel, et nous avons fait l'amour, sûrement le plus beau moment de ma vie sensuelle. Alice pleurait, et elle éprouvait du plaisir en même temps. La mort de sa sœur la propulsait dans une énergie charnelle. Enfin, je pensais que c'était la mort qui l'avait poussée vers moi, mais au contraire, c'était la nécessité de la vie. Et ce qui se passa fut parfaitement étrange : nous avons basculé ainsi dans le bonheur. Quelque chose de presque extatique, de gloussant. Alice buvait, Alice était terriblement malheureuse, et elle renaissait par son corps. Je retrouvais lors de ces instants ce que j'aimais aussi chez elle, pas forcément le côté « petite chérie », mais la femme parfois caractérielle et boudeuse, capable de s'enfuir en courant dans la nuit. Dans ses rires, il y avait vraiment la tentative de survivre, dans ses excentricités subites aux rivages d'une certaine folie, il y avait l'idée de planter un couteau dans le présent pour le fixer.

Nous nous sommes beaucoup vus. En y repensant, je me dis que les choses se sont faites simplement. Un rendez-vous, puis un autre, et après chaque rendez-vous l'attente incessante de se revoir. Nous nous retrouvions à des moments identiques de nos vies. Ensemble nous étions à l'abri. Nous nous consolions de l'existence, dans ces quelques mètres carrés ridicules, quelques mètres volés à l'immensité du monde. J'avais fini par louer au mois notre petite chambre. C'était notre refuge, un espace qui était aussi celui de nos vingt ans. J'avais l'impression que mon cœur battait à nouveau, d'autant plus fort qu'il battait avec mon premier amour. Nos retrouvailles étaient plus physiques que nos amours de jeunesse. Il n'y avait plus la moindre retenue. Et je découvrais Alice bien plus que je ne la redécouvrais. Elle me surprenait, et j'étais vraiment ému par toutes ses attitudes. Pour tout dire, c'est vraiment ce que j'ai pensé profondément, mais je crois que tout cela était lié à la mort de Lise. Il n'est pas rare que ceux qui perdent un frère ou une sœur se sentent dans la nécessité absolue de vivre pour deux. Dans nos jeux érotiques, c'était une sensation si étrange, il me semblait ressentir le fantôme de Lise, comme une aspiration lumineuse vers la vie.

Nous ne nous étions pas parlé pendant dix ans. Il fallait rattraper ce temps, tout se raconter, échanger chaque impression. Le premier sujet fut bien sûr nos enfants, et nous eûmes la surprise de nous rendre compte qu'ils étaient nés à quelques jours d'intervalle.

« Nous avons deux scorpions alors, a dit Alice.

— Roman et Caroline les deux Scorpion… »

Ce ne fut que le début d'une étrange suite de coïncidences. En retraçant le parcours de nos vies respectives, nous nous sommes rendu compte de leurs similitudes. Nous avions par exemple rencontré nos conjoints au même moment. Et il y avait d'autres détails, encore plus troublants.

« Ne me dis pas que vous êtes allés en Croatie.

— Mais si, à Dubrovnik !

— Nous aussi ! »

Nous aurions pu nous croiser sur le port. Nous avons décidé alors de noter tous les voyages que nous avions effectués. L'année suivante, nous étions au même moment en Grèce. Comme Alice ne me croyait pas, je lui ai apporté des photos datées. Nous avions visité l'Acropole le même jour. À quelques heures près, nos deux familles s'étaient suivies. Nous nous sommes regardés, effrayés et extatiques à la fois, avec l'impression de n'avoir jamais été séparés (chacun ses vies parallèles).

Après quelques semaines dans la pénombre, nous avons décidé de sortir. On se promenait, on allait déjeuner, on allait au cinéma, on visitait des musées, on parlait de livres. J'avais l'impression de revivre la vie que j'avais vécue dix ans auparavant. Toutes ces scènes étaient comme une décalcomanie de ma jeunesse. Nous étions là, dans nos moments hors du temps, et il m'arrivait de croire que tout serait encore possible. Il m'arrivait de penser que rien n'avait existé, que j'avais rêvé les dix dernières années. Cela avait juste été un cauchemar un peu plus long que les autres. L'Alice de maintenant était l'Alice de toujours. Je retrouvais sa douceur, cette façon qu'elle avait d'écouter avec les yeux ouverts, des yeux pleins d'une telle attention. Elle était ma confidente, ma maîtresse, ma femme ratée et mon amie. Elle était érotique et prude. Elle me réveillait et m'endormait. Elle était définitivement celle du premier jour, et cela me rendait idiot. J'allais tout près de son oreille, et je lui disais : « Faisons l'amour comme si nous existions ! » Elle ne comprenait pas cette phrase, et ce n'était pas grave. Elle existait, avec la grâce de ce que Schopenhauer aurait appelé *la tragédie de l'instant.*

Un jour, alors que nous étions ensemble, mon téléphone sonna.

« Pourquoi ne décroches-tu pas ? me demanda Alice.

— C'est Paul. Je le rappellerai plus tard. Tu te souviens de lui ?

— Ah oui. Qu'est-il devenu ? »

Je lui racontai alors l'histoire de Paul. L'importance qu'il avait eue dans ma vie, notamment pendant les moments de crise. Je le voyais moins depuis quelque temps. Pourtant, je ne pouvais pas dire que les liens s'étaient défaits. Il était toujours dans ma vie, on se parlait une fois par mois, on se donnait des simples preuves de notre existence. Sur mon répondeur, il m'avait laissé un message étonnant. Je ne pus m'empêcher d'en rire. Alice me demanda ce qui se passait. Je lui rédigeai alors une notice.

*

Paul et Virginie (2001-) : Couple très uni, tout comme leurs illustres prédécesseurs. Ils se sont rencontrés sur un site Internet, mais ont préféré inventer une histoire plus romantique d'allergie au saumon. Selon tous les témoins, ce fut une union paisible, pour ne pas dire parfaite. Jamais un mot plus haut que l'autre ne fut prononcé. La naissance de Gaspard, bébé joyeux et rond, honoré d'un merveilleux parrain, fut le symbole de ce bonheur sans faille. Ils furent, comme tant d'autres, rattrapés par le sentiment de ne pas vivre une vie palpitante, et décidèrent de se séparer. Cela surprit beaucoup leur entourage, pour qui ils représentaient le couple rêvé, harmonieux et équilibré. C'est alors qu'il se produisit une chose étonnante. Pendant la procédure de divorce, ils furent tellement d'accord sur tous les points de leur séparation que tout cela leur parut bien ridicule. Ils décidèrent de se remettre ensemble.

*

Alice s'est mise à rire de cette histoire qu'elle trouvait « démente ». Oui, c'est le mot qu'elle a employé. « C'est dément. » Et moi aussi je trouvais cela dément. Nous étions d'accord sur le dément. Le message de Paul avait été si joyeux, après de longues semaines un peu tristes. Ils étaient à nouveau ensemble, et je ne pouvais m'empêcher d'y voir un signe. Comme une concordance. Je retrouvais Alice, et je voulais tant que nous recommencions. Mais je n'osais pas vraiment aborder le sujet. Je la savais dans la convalescence du deuil, dans ce moment de vie où le seul projet immédiat consiste à respirer. L'histoire de Paul et Virginie nous amusa encore un bon moment, et je profitai de cette euphorie pour jeter mon nez sous son aisselle. Cela la chatouilla tant qu'elle me repoussa.

« Oh s'il te plaît ! Laisse-moi sentir tes aisselles.

— Ah, ça faisait longtemps.

— Tu sais comme j'aime ça… c'est ma madeleine de Proust !

— Tu es un maniaque, Fritz.

— Non, je sens tes aisselles, et je revois les plus belles images de toi… »

Je me levai pour crier en sautant sur le lit :

« Vive tes aisselles !! Vive tes aisselles !! »

(À ce moment précis, la femme de ménage passa près de la porte en soupirant : « Ce sont vraiment des pervers ces deux-là. »)

Nous étions si heureux.

Notre histoire allait commencer encore.

IV

Les semaines ont passé, et nous étions bien obligés de définir ainsi notre situation : Alice et moi étions amants. Cette femme, qui aurait dû être ma femme, était devenue ma maîtresse. On frôlait le boulevard, et c'était si étrange pour quelqu'un comme moi qui ne supporte que les petites rues. Pourquoi ne pas partir tous les deux, se retrouver enfin sous la lumière ? C'était ce que je voulais, mais j'allais bientôt comprendre que les choses étaient différentes pour Alice.

Je vivais mon envie d'une manière autonome ; je veux dire que mon histoire avec Iris était déjà morte avant le retour d'Alice. Iris s'était fanée, et elle n'aurait jamais dû porter le nom d'une fleur. Je la regardais souvent à son insu et j'éprouvais presque de la peine dans la contemplation de sa sécheresse. Bientôt, elle allait renoncer à écrire des romans, et comme tout écrivain qui va renoncer, elle avait, dans un ultime soubresaut, entrepris de raconter sa vie. J'avais lu l'épisode de la cravate. C'était si étonnant de relire, sous forme romanesque, ce que j'avais été. Un moi déformé par le souvenir, un moi surtout déformé par les années passées ensemble. Comment pouvait-elle retranscrire sa première impression ? Était-ce vraiment important ? Je ne sais pas. Je sais juste que j'avais été choqué de découvrir une version si différente de celle de mon souvenir. On peut avoir trois types de divergences avec une personne : sur la vision du futur, sur la vision du présent et sur la vision du passé. Et une chose est sûre : si l'on vit ce troisième type de divergence, les deux autres en découlent tout naturellement. C'est en lisant ce passage autobiographique que j'ai compris la fin de notre histoire. Il restait maintenant à la prononcer. Souvent, les paroles ne suivent pas les décisions. Il faut du temps pour mettre en pratique les évidences. Et c'est le retour d'Alice qui me permit de trouver cette force, cette puissance de simplement prononcer, un soir, cette phrase : « Il est temps de se séparer. »

Iris n'a rien dit. C'était sa façon d'accepter. Elle semblait si détachée de tout qu'elle aurait pu être tout aussi d'accord si je lui avais proposé de faire un enfant. Je crois surtout que j'étais bien incapable de savoir ce qu'elle ressentait profondément. Et dans cette logique-là, je fus cueilli le lendemain matin par un réveil en larmes :

« Je t'en prie, Fritz, ne pars pas. J'ai besoin de toi.

— Mais c'est fini. Tu le sais aussi bien que moi.

— C'est à cause d'Alice, c'est ça ?

— Non.

— Tu peux la voir. Tu peux faire tout ce que tu veux. Mais je veux que nous restions ensemble. »

Par qui avait-elle été visitée dans la nuit ? Je la découvrais subitement sous une lumière passionnelle, et je dois dire que je fus réellement troublé par ce revirement. Pendant toutes ces années, j'avais tenté l'impossible pour sauver notre histoire, je m'étais confronté à un cœur sec, et voilà qu'elle se montrait désespérée à l'idée de vivre sans moi. Elle semblait réellement sincère, et notre passé s'est recomposé en moi d'une manière si forte, si limpide que je fus aussitôt plongé dans une parfaite confusion. C'était peut-être stupide de se quitter. Elle allait peut-être faire des efforts, redevenir celle que j'avais aimée, son ombre tout du moins.

« Emmène-moi en week-end. Partons d'ici… », avait-elle dit.

Et j'avais accepté.

Nous étions allés à Deauville. J'avais conduit sans faire le moindre excès de vitesse, voulant contrôler ce que je pouvais ; à savoir, tout ce qui n'était pas d'ordre sentimental. En arrivant, nous avons pris une chambre dans le premier hôtel venu. Iris m'a fait couler un bain (la dernière fois remontait à une autre décennie), et elle m'a attendu sur le lit, lascive et ridicule comme une actrice trop vieille qui veut jouer un rôle de jeune fille. Je n'avais plus le moindre désir pour elle. J'ai regardé la chambre, et tout me paraissait comme le décor absurde d'un amour sans chair, un amour décomposé depuis longtemps. Pendant que je prenais mon bain, Iris avait bu ce qu'il y avait dans le minibar. Il était préférable de sortir, prendre l'air. Il faisait gris dehors, pourtant il y avait du monde sur la plage. Nous avons marché : un homme et une femme, sans le chabadabada.

Finalement, nous avons repris la voiture, en direction d'Étretat. Il y avait moins de monde à cet endroit. Iris me paraissait de plus en plus comme une inconnue. C'était moins le rivage de sa folie que celui de la mer qui me chahutait. Un instant, je l'ai serrée dans mes bras, et c'était le signe d'une parfaite compassion. Je n'éprouvais plus le moindre amour. Je crois qu'elle l'a ressenti.

« Et si je me jette ? Et si je me jette maintenant ? »

J'ai imaginé son corps écrasé au pied de la falaise.

« Ne sois pas idiote. Viens, on rentre. »

Elle avait l'air d'une petite fille. Nous sommes passés à l'hôtel reprendre nos affaires. Et nous sommes retournés à Paris, sans même y passer la nuit. Notre petite escapade de quelques heures marquait la fin de notre histoire, comme une tournée d'adieu grotesque. Iris était d'accord avec moi. Elle s'était accrochée, ce matin, à l'idée de quelque chose qu'elle aurait pu réussir. Mais elle savait très bien qu'elle avait tout raté. Que depuis longtemps déjà, elle était entrée dans une spirale noire, comme une véritable dépressive.

V

Le lendemain matin, j'ai téléphoné à Alice. Je voulais la retrouver pour déjeuner, lui dire que j'étais libre maintenant, que cela n'aurait aucune incidence sur notre histoire, mais je voulais qu'elle me révèle ses intentions. Allait-elle faire pareil ? Je dois dire qu'il n'y eut pas des heures d'explication, ce fut même simple, atrocement simple. À peine assise devant moi, elle me dit qu'elle ne quitterait pas son mari.

Je ne veux pas décortiquer son choix. Et je ne veux pas penser que notre passé ait eu une quelconque importance dans sa décision. Il me semble juste que c'était une question d'éducation. On ne se séparait pas quand on avait un enfant d'à peine dix ans. Alice avait toujours été rigide, et je comprenais maintenant qu'elle ne dérogerait pas à ce principe. Mais je me trompais en imaginant que c'était la raison principale. Quelques jours auparavant, elle avait eu une longue discussion avec son mari. Elle lui avait tout avoué, et il s'était alors approché d'elle, juste pour la serrer dans ses bras.

« Oui je sais, avait-il dit. Je sais. »

Alice l'avait regardé, et elle avait compris à quel point il avait dû souffrir. Pour ce silence, qui était une telle preuve d'amour, elle resterait avec lui. Par ce silence, ils allaient continuer leur histoire.

Nos retrouvailles allaient donc se terminer. Nous nous sommes vus pour déjeuner. Mais ni elle ni moi ne pouvions manger. Il était bien plus facile de boire, ce que nous avons fait, d'une manière excessive. Notre dernière rencontre allait tituber. En sortant, j'ai voulu aller au cimetière, voir la tombe de Lise. C'était comme une façon de faire une ronde de toute cette période. On se quitterait là-bas. Quand nous sommes arrivés sur place, Alice voulut boire un peu plus, pour se donner du courage. Il y avait un bar qui avait le mauvais goût de s'appeler « Le Terminus ». Le patron devait aimer l'humour noir. Nous nous sommes installés, parmi la faune des malheureux. C'était vraiment sinistre, et on était là, en train de rompre dans ce décor. Je ne sais plus lequel de nous a eu un fou rire en premier, mais la situation était tellement risible.

Nous sommes sortis en gloussant. Le gardien du cimetière nous a demandé d'être un peu plus discrets. Au milieu de l'allée, j'ai subitement pensé :
« Tu ne veux pas qu'on s'achète une concession ?
— Tu veux dire une tombe ?

— Oui. On n'arrive jamais à être ensemble dans la vie. Alors au moins, on pourrait passer l'éternité côte à côte.

— Pourquoi pas !

— Et ça serait économique aussi.

— Pourquoi tu dis ça ?

— Tu n'as pas remarqué : il y a toujours un supplément pour les *single* dans les hôtels. Alors si on prend pour deux, ça nous fera des économies.

— Tu as raison. Et puis c'est long l'éternité. Ça ferait vraiment une grosse économie. Tu es fort, Fritz ! À ta santé ! »

On avait emporté une petite bouteille de champagne pour boire avec Lise. Et c'est ce que nous avons fait. Nous avons disposé un verre sur la tombe, et au lieu d'arroser des fleurs, on versait un peu de champagne sur sa stèle. Alice riait, et Alice pleurait. Je riais, et je pleurais. Le temps présent allait finir, et on luttait pour se maintenir dans une bonne humeur factice. Et puis tout m'est apparu subitement comme une immense absurdité. S'il existe un endroit où l'on peut justement se dire : « la vie est trop courte », c'est bien dans un cimetière. C'était ridicule, alors j'ai attrapé le bras d'Alice, très fermement.

« Nous devons rester ensemble. Nous sommes les Beatles.

— Eh bien justement, ils se sont séparés.

— Oui, mais tous leurs fans étaient tristes. Nous devons rester ensemble pour nos fans. Nous sommes Alice et Fritz, je veux dire, ce n'est pas rien quand même. Nous avons une histoire de dents ensemble. Nous avons des rires au-dessus de nos têtes.

— Oui, mais ce n'est pas possible.

— Et si je te supplie ? Et si je m'allonge par terre, en t'implorant de rester près de moi.

— Arrête, Fritz. Tu as trop bu. Et j'ai trop bu aussi. »

C'était vrai que nous avions trop bu, mais il fallait fuir la lucidité. Prendre un visa pour le flou.

L'alcool faisait vraiment effet. Alice marchait à quatre pattes dans les allées du cimetière, et je n'arrivais même pas à la suivre. Je suis tombé nez à nez avec la tombe du peintre Bernard Réquichot, et c'était si étrange de voir son nom à ce moment-là. J'avais si souvent pensé à sa vie, à son suicide, à ses écrits, et il était encore là maintenant à regarder ce moment que je vivais. Comme le regard d'une postérité ratée posé sur moi. Alice m'appelait, et je tentais de la rejoindre. J'avais un joli point de vue sur ses fesses, et j'ai pensé que je ne toucherais plus jamais son cul. Pendant que je la suivais, de nombreuses images de notre histoire érotique parsemaient mes visions. Comme un mort qui voit défiler les instants de sa vie. Elle parcourait mon esprit dans toutes ses positions, sainte et excitée, et j'allais mourir de sa vie sensuelle.

Où allait-elle ? Nous étions comme des bêtes primaires. À se suivre à quatre pattes entre les cercueils. Au loin, il y avait un attroupement. Je n'ai pas vu qu'Alice s'était arrêtée, et je me suis encastré sur elle. Nous nous sommes relevés, nous appuyant l'un sur l'autre pour ne pas tomber, deux béquilles humaines. Nous avons décidé de rejoindre ces personnes réunies, bercés par l'oubli du lieu : nous ne savions plus où nous étions. Le soleil nous cognait dessus, et cela n'arrangeait rien à notre ivresse. C'était un soleil qui me faisait penser à celui du jour de notre mariage. J'ai arrêté Alice.

« Qu'est-ce que tu veux ? m'a-t-elle demandé.

— Je veux te dire oui. »

Elle m'a embrassé. Il fallait avancer, avancer vers la destination la plus visible, le rassemblement. Nous étions maintenant parmi des gens éplorés. Tout le monde s'est retourné vers nous, je voyais des femmes pleurer, et Alice aussi les voyait, mais je crois que tout cela était confus, si confus, de plus en plus en confus, et le noir pouvait très bien être du blanc, alors Alice a crié :

« Vive les mariés ! »

Et j'ai crié aussi :

« Vive les mariés ! »

Un homme s'est approché de nous, et s'est mis à nous pousser avec beaucoup de fermeté. Il semblait très fort, comme un géant presque, car il nous prenait chacun par une main.

« Que se passe-t-il ? » avons-nous demandé.

Il a juste dit que c'était un enterrement, et que nous devrions avoir honte. Alors Alice a crié :

« Vive les morts ! »

J'ai voulu faire de même, mais au moment où j'ai ouvert la bouche, j'ai senti un grand coup dans ma mâchoire. Je suis tombé à la renverse.

Complètement sonné, j'ai tout de même saisi que quelqu'un me transportait. Je suis revenu à moi une fois assis dans une camionnette de police. Alice était en face de moi. Nous étions deux délinquants, perdus dans un après-midi, en pleine école buissonnière. Au commissariat, nous avons été placés dans une cellule de dégrisement. Revenant à moi, j'ai exprimé :

« C'est vraiment pas bien ce que nous avons fait.

— Ah non, c'est pas bien du tout ! a-t-elle répondu en ne pouvant réfréner un rire.

— Je t'en prie Alice, ne me fais pas rire. J'ai très mal. »

Elle s'est alors approchée de mon visage pour constater les dégâts. J'avais du sang dans la bouche, et je me sentais terriblement enflé.

« Tu as une dent cassée, a dit Alice.

« Laquelle ? ai-je demandé aussitôt.

— La nôtre, Fritz. La troisième du haut. Oui, c'est celle qui s'est cassée. »

Nous sommes restés stupéfaits. Tout n'était encore qu'une histoire de dents.

On nous a laissés sortir en fin de journée. La nuit venait de tomber, en se faisant mal. Alice est partie loin de moi, quelque part par là-bas, où je ne vois plus son dos. Je suis rentré, et j'ai avalé deux somnifères. Le lendemain, je ne pouvais absolument pas travailler. Je suis sorti vers midi. C'est une fois dehors seulement que je me suis mis à pleurer. Pas longtemps. Juste quelques minutes, et cela m'a fait du bien. Je suis entré dans un magasin de jouets, puis dans une librairie, et finalement dans une boutique de DVD. J'ai vu le film d'Ettore Scola *Nous nous sommes tant aimés*, et j'ai pensé « Nous nous sommes tant séparés ». Je suis resté devant ce film pendant un long moment, à regarder ce titre, à regarder l'affiche, et j'ai voulu me réfugier là-dedans, dans un film italien des années soixante-dix.

ÉPILOGUE

Écrire sur Schopenhauer n'est pas le meilleur moyen de remonter un moral incertain. Je crois que toute ma vie, j'ai eu l'ambition de ce livre que je n'écrirai jamais. Je peux le dire maintenant. C'est comme faire ses valises sans partir. J'avais voulu le faire en cinq volumes, et pourquoi pas dix volumes, ou trente-deux volumes de Schopenhauer, pourquoi ne pas fantasmer sa vie à l'infini, comme toutes les vies que j'ai parcourues, toutes les vies que j'ai résumées, et la mienne qui passe, je sens qu'elle passe, je le sens au niveau de mes genoux qui rouillent en silence, sans rien dire, et j'ai presque l'impression de voir la vieillesse tout près de moi, comme un ami d'enfance que je retrouve par hasard. Est-ce que nous faisons tous une sorte de bilan ? Et que devrais-je dire alors de ma vie, maintenant que j'ai quarante ans, que j'ai appris la seule chose qui vaille : la perte du bonheur.

Je travaille toujours chez Larousse. Après beaucoup d'hésitations, et par une sorte d'absolue nécessité de boire mon café avec quelqu'un (même un sous-fifre muet), j'ai réintégré les locaux de la maison. Je suis un des plus vieux employés, vingt ans déjà, et l'on me surnomme « la mémoire ». Ce qui est paradoxal pour quelqu'un qui veut absolument oublier ce qu'il a vécu ici. C'est une occupation professionnelle qui me procure assez peu d'occasions de rencontres féminines. Parfois, il y a de nouvelles stagiaires, mais je me sens si vieux que je n'essaie plus de les séduire. J'ai pourtant eu quelques aventures, dont une qui a duré deux ans avec la mère d'un des copains de mon fils. Faire un enfant peut se révéler très rentable pour sa vie affective. Les réunions de parents d'élèves, c'est un nid à adultères.

Je suis tellement ému de voir ce qu'il est devenu. Roman est un garçon sensible, attachant, toujours à l'écoute des autres. Je regrette juste une chose, il n'a aucune fibre artistique. Pire, il déteste lire. Avec le prénom qu'il porte, et la profession de sa mère, c'est presque un suicide de l'origine. Je crois que, comme beaucoup de jeunes, il ne sait pas vraiment ce qu'il fera plus tard. Pour l'instant, il pense aux filles. Il me parle de certaines d'entre elles, et il rougit. J'ai des discussions d'homme avec mon bébé.

La sensualité, j'y pense souvent. J'ai été si maladroit avec les femmes, si ridicule dans mes histoires. J'ai vécu à l'étroit, et je comprends maintenant que tout est lié à cette histoire d'étroitesse affective de mes parents. J'ai vécu la vie d'un homme timoré à l'idée de l'immensité du monde. J'ai été incapable de voyager, et j'ai toujours regardé les cartes postales de mes parents avec frayeur. Tout juste suis-je allé quelquefois en Suisse à la recherche de quelque chose, mais je n'ai jamais su très bien quoi, sûrement une pulsion du calme et du refuge. Mais attention, il ne faut pas croire que ma vie de quadragénaire n'est pas palpitante. J'ai des amis, un fils merveilleux, un travail qui me stimule intellectuellement, une histoire d'amour qui vient de s'achever mais qui fut parsemée de quelques éclats émouvants, pour ne pas dire de belles digressions érotiques, j'ai des passions, et des gens que j'admire, de Franz Schubert à John Coltrane, de Willem De Kooning à Witold Gombrowicz, et des œuvres que je vénère, du *King Kong* de Frank Zappa à *L'angoisse du supplice liquide* de Salvador Dalí, et des choses que j'aime comme le risotto aux champignons, on se sent bien avec un risotto aux champignons, et je peux aussi avouer une passion pour la soupe, et par extension pour tout ce qui ne se mâche pas, et je suis assez complet car j'aime le sport aussi, j'aime écouter les matchs de football à la radio, et j'aime courir, je cours et après je m'assois pour regarder passer les femmes, parfois j'invente des histoires aux passants, il m'arrive de pleurer et de rire, il m'arrive d'aimer un mauvais film, et je pense souvent à mon grand-père que j'ai tant aimé, et je pense à Iris qui fut importante tout de même, à Émilie aussi, à Céline bien sûr, à Charlotte, et puis d'autres prénoms dans d'autres pénombres, mais c'est Alice, toujours Alice qui est là, immuable, avec encore des rires au-dessus de nos têtes, comme si le premier amour était une condamnation à perpétuité.

Quelques mois après notre dernière séparation, elle m'avait envoyé un message pour mon anniversaire, auquel j'avais répondu aussitôt en proposant de la voir. Mais elle n'avait pas donné suite. Cela avait juste été une façon de me dire qu'elle était là, qu'elle pensait à moi, mais qu'il ne fallait pas qu'on se rencontre. Je lui en ai voulu, beaucoup. Car au moment où j'avais reçu son message, je commençais tout juste à me sentir mieux. Alors, j'ai changé de numéro, et nous sommes repartis vers l'anonymat. Je n'ai rien su de sa vie. Je n'ai pas su qu'elle avait encore souffert après la mort de sa sœur, puisque son père s'est tué en voiture peu de temps après. Et que ce second drame a plongé sa mère dans une profonde dépression. Éléonore s'était lentement enfermée dans le silence. Alice a été forte, très forte pour endurer l'explosion de sa famille, et son comportement fut le suivant : elle s'est recroquevillée sur sa fille. Plus rien n'existait que la nécessité de protéger son enfant. Sa vie de femme n'existait plus. De toute façon, depuis la plongée de sa mère dans le mutisme, elle était bien incapable de faire et de vivre l'amour. Son mari est parti, c'était mieux ainsi. Il s'est remarié il y a peu avec une chanteuse assez célèbre. Enfin, à ce qu'on m'a dit, car moi, je ne la connaissais pas. Elle n'est pas encore dans le *Larousse*. C'est ainsi que les années ont encore passé, avant nos retrouvailles, encore une fois. Car, oui, Alice et moi nous sommes revus, et ce fut bien la seule responsabilité du hasard.

Nos enfants avaient le même âge, et comme beaucoup de gens du même âge, ils partageaient certaines passions. Caroline et Roman étaient en pleine période hippie, celle où l'on fume ses premiers joints, celle où l'on boycotte son coiffeur et les réveille-matin. C'est le temps de la musique psychédélique, et du culte facile. On admire Che Guevara, on admire Janis Joplin, et on admire Jim Morrison. Le chanteur des Doors, enterré au Père-Lachaise, est toujours vénéré par des hordes de fans, de plus en plus, mythe sans érosion. Il aurait été un vieillard maintenant, et j'essaye de l'imaginer. Tout comme John Lennon ou Elvis Presley, je pense souvent à la vie potentielle de ceux qui sont morts, aux œuvres qu'on ne connaîtra jamais. Comment aurait été Jim Morrison aujourd'hui à soixante-dix ans ? Je me dis qu'il posséderait un téléphone portable, et qu'il consulterait ses mails.

Alice me manquait toujours, mais d'une manière de plus en plus calme, exactement comme on peut souffrir d'une folie douce. Elle coulait dans les veines de mon passé. Il n'existait pas une journée sans qu'un de nos souvenirs ne me hante, Alice par-ci Alice par-là, une dispute en allemand au jour où je suis venu la chercher avec un panneau autour du cou, tout me paraissait merveilleux maintenant, avec le filtre apaisant des années, et même notre drame, je pouvais y penser sans transpirer. Alice était ma beauté, et serait toujours ma beauté, belle du petit seigneur que je suis, étroit dans son royaume, ridicule du passé, et aujourd'hui encore, ce jour où je vais la revoir, j'éprouve une tendresse infinie pour les petits enfants que nous étions.

C'était si étrange de la revoir ici, dans un cimetière. Presque dix ans après l'avoir perdue dans un cimetière. Comme si le temps l'un sans l'autre n'existait jamais. J'étais un peu en retrait de la foule des jeunes, et elle s'est extirpée de cette foule. Mon cœur s'est mis à battre, et le sien aussi je pense, car elle s'est avancée vers moi avec un sourire parsemé de petites tensions nerveuses. Et voilà, nous étions l'un face à l'autre. Sans bouger.

« C'est fou de se voir ici.

— Oui, c'est fou, a-t-elle répondu, avec sa voix qui m'avait tant manqué.

— Tu fais quoi ?

— J'accompagne ma fille. Ils sont réunis pour les cinquante ans de la mort de Jim Morrison.

— Je sais. J'accompagne mon fils. Mais il y a trop de monde, alors je me suis mis un peu à l'écart.

— Oui, c'est ce que je viens de faire aussi. »

Après un temps, je lui ai demandé :

« Tu vas bien ?

— Oui. Et toi ?

— Oui, ça va.

— ...

— ...

— Je suis contente de te voir.

— Moi aussi. Moi aussi, je suis content. »

Nous ne nous étions même pas embrassés. Alors subitement, nous nous sommes fait une bise, en nous passant la main dans le dos.

Nous avions donc tous les deux accompagné nos enfants à cette procession en hommage à Jim Morrison. En agonisant dans sa baignoire, pouvait-il imaginer qu'il deviendrait un tel mythe ? Qu'un demi-siècle plus tard, il serait encore adulé par les enfants des enfants des enfants de ceux qui l'avaient connu. Et surtout : pouvait-il imaginer que c'était grâce à lui qu'Alice et Fritz, héros d'un autre temps, se retrouveraient parmi la foule de ses admirateurs ? Peut-être qu'il n'avait vécu et n'était mort que pour ça finalement.

*

Jim Morrison (1943-1971) : Chanteur mythique des Doors, légendaire pour son jeu de scène parfois obscène. Il fut également poète. Mort à Paris, d'une overdose sûrement, mais il existe beaucoup de théories contradictoires. Il fut à l'origine, bien malgré lui, des retrouvailles d'Alice et de Fritz.

*

J'ai pensé à toutes les biographies qu'on pourrait écrire en intégrant la vie des anonymes, en précisant ce que les stars avaient pu modifier, sans le savoir, autour d'eux. Jim Morrison nous avait réunis. Tous les artistes devraient mourir à Paris. On entendait au loin la musique lancinante de *The End*. Caroline est revenue la première, elle paraissait tout émue, presque vidée, comme si elle avait vraiment vu un concert des Doors. C'était si étrange de découvrir la fille de son plus grand amour. Il y avait tellement d'Alice en elle, je ne pouvais que l'aimer. Tout en éprouvant une légère gêne pour cette attirance. Roman est arrivé à son tour, dans le même état que Caroline. C'est ainsi que nous nous sommes retrouvés tous les quatre. Alice a expliqué à sa fille qui j'étais, et celle-ci m'a observé comme si elle rencontrait un mythe de la vie de sa mère. J'étais une sorte de Jim Morrison, le rock, la drogue, et la poésie en moins. J'avais parlé d'Alice à Roman aussi, et il la regardait avec une certaine émotion. Mais c'était une émotion bien moindre que celle suscitée par la rencontre de Caroline.

Nous avons marché lentement, dans les allées. C'était vraiment une belle journée. Les morts nous entouraient, et c'était l'une des journées les plus vivantes de ma vie. Je me sentais léger, heureux, et je regardais mon fils qui marchait devant moi avec Caroline. C'était ridicule, c'était infime, et pourtant cela se voyait : ils se plaisaient. Alice et moi, nous nous sommes regardés, sans rien dire, et dans ce silence, il y avait sûrement cette pensée commune : et s'ils réussissaient ce que nous avions raté ? Et si nos enfants restaient à marcher ainsi, côte à côte, avec des rires au-dessus de leurs têtes, marcher longtemps sans se séparer.

Au bout d'un moment, j'ai voulu faire une photo avec mon téléphone. Alice est restée près de moi. Caroline et Roman se sont retournés vers nous, tout en râlant un peu de l'idée de cette photo. Et cela les réunissait encore davantage de râler contre moi. Ils étaient dans mon cadre, et je zoomais doucement sur leur visage, doucement, et je les entendais s'impatienter, mais je voulais prendre mon temps pour figer leur rencontre, et quelque chose d'autre se jouait dans cette photo, quelque chose qui n'était pas eux, Alice et moi nous le savions, c'était assez sublime comme hasard de la vie, et ce hasard était protégé d'une lumière douce, rare pour la période, un hors-piste de la lumière. Ils étaient tous les deux, dans mon cadre, et j'ai pu voir leur visage, nos enfants. C'est alors que je fus foudroyé par une étrange révélation : ils avaient tous les deux ce qu'on appelle les dents du bonheur.

FIN

DU MÊME AUTEUR

Aux Éditions Albin Michel Jeunesse

LE PETIT GARÇON QUI DISAIT TOUJOURS NON, en collaboration avec Soledad Bravi

LE SAULE PLEUREUR DE BONNE HUMEUR, en collaboration avec Soledad Bravi